cDv

DRESSLER

ALAN CUMYN

Die geheimen Abenteuer des
Owen Skye

Deutsch von
Sabine Ludwig

Cecilie Dressler Verlag · Hamburg

© Cecilie Dressler Verlag GmbH & Co. KG, Hamburg 2005
Alle Rechte für die deutschsprachige Ausgabe vorbehalten
Originaltitel: *The Secret Life of Owen Skye*. © 2002 by Alan Cumyn
First published in Canada by Groundwood Books/Douglas & McIntyre Ltd.
Aus dem Englischen von Sabine Ludwig
Einband von Markus Zöller
Satz: UMP Utesch Media Processing GmbH, Hamburg
Druck und Bindung: GGP Media GmbH, Pößneck
Printed in Germany 2005/II
ISBN 3-7915-2731-2

www.cecilie-dressler.de

Inhalt

Feuer und Regen

In dem alten, baufälligen Farmhaus, in dem Owen Skye vor vielen Jahren mit seiner Familie lebte, stand auf dem Kaminsims ein Messingtopf. Owens Vater Horace polierte den Topf regelmäßig, bis er glänzte. Er hatte Owens verstorbenem Großvater gehört und schien magische Kräfte zu besitzen.

Owens Großvater war Seemann gewesen und der Messingtopf hatte ihn auf seinen Reisen um die Welt begleitet. Wenn Owen ihn ganz nah an die Nase hielt, glaubte er tausend verschiedene Orte riechen zu können.

Leider war der Deckel des Topfes so fest verschlossen, dass ihn nur der stärkste Mann der Welt hätte öffnen können. Selbst Owens älterer Bruder Andy schaffte es nicht, und der war wirklich ungeheuer stark. Und Leonard, der jüngste Bruder, schaffte es natürlich schon gar nicht. Er war viel zu klein und zu schwach. Außerdem trug er eine Brille, die jedes Mal herunterfiel, wenn er sich zu sehr anstrengte.

Schüttelte man den Messingtopf, dann klapperte es darin. Keiner wusste, was er enthielt: Goldmünzen vielleicht oder Smaragde oder gebleichtes Piratengebein.

Owen ging nie am Kamin vorbei, ohne den Topf herunterzunehmen und so fest er nur konnte an dem Griff des Deckels zu ziehen. Aber sosehr er sich auch bemühte, der Deckel löste sich nie.

Horace Skye war Versicherungsvertreter. Aber er verkaufte nicht sehr viele Versicherungen, außer an sich selbst, und daran war das baufällige Haus schuld. Horace hatte seine Frau Margaret davon überzeugt, dass es eine gute Idee sei, das Haus zu kaufen, weil es aussah, als ob es bei der nächsten Windbö einstürzen würde. Dann bekämen sie von der Versicherungsgesellschaft genug Geld, um ein nagelneues Haus zu bauen.

Owen und seine Brüder sausten durch das Haus wie eine Horde wilder Pferde und kickten große Stücke aus den Mauern, damit es schneller ging mit dem Einstürzen. Doch es sank einfach nur weiter in sich zusammen und das Dach bekam eine Kuhle in der Mitte wie ein durchgelegenes Bett.

Eines Tages Anfang September veranstaltete Owens Mutter Margaret eine Bridgeparty. Bereits Tage vorher begann sie damit, das Haus zu putzen und die Jungs davon abzuhalten, wieder alles durcheinander zu bringen. Am Nachmittag lief sie dann emsig zwischen Küche und Wohnzimmer hin und her, brachte Tee und Kaffee, Kuchenstücke und Käsecracker und Wackelpudding mit Marshmallows darin, und nebenbei unterhielt sie sich noch mit den anderen Damen.

Andy und Leonard waren damit beschäftigt, Zuckerstücke aus der kostbaren Zuckerdose aus Kristall zu stehlen, die ihre Mutter nur bei besonderen Anlässen vom höchsten Schrank herunterholte. Sie schlenderten leise vor sich hin summend an der Dose vorbei, um dann so geräuschlos und flink wie ein Geheimagent den Deckel zu lüften und sich ein oder auch zwei Zuckerwürfel in den Mund zu werfen.

Owen mochte Zucker auch, aber nach den ersten Stücken hielt er es für besser, sich noch einmal an dem Messingtopf zu versuchen. Er wollte den Topf heimlich ganz allein öffnen und dann seinen Brüdern den Schatz darin zeigen. Es gelang ihm, sich unbemerkt davonzustehlen, während seine Brüder wie die Hornissen um die Zuckerdose herumschwirrten und seine Mutter nur darauf bedacht war, dass alles reibungslos funktionierte.

Owen nahm den Messingtopf mit zu seinem Geheimversteck unter der vorderen Veranda. Er fasste den Deckelgriff mit der rechten Hand, klemmte den Topf zwischen seine

Turnschuhe und zog. Als sich nichts rührte, fasste er den Griff mit beiden Händen und zog so fest, dass er mit den Füßen abrutschte und mit dem Kopf gegen einen Balken schlug.

Owen ging zurück ins Haus und hielt sich den schmerzenden Schädel.

»Wehe, du steckst noch einmal deine dreckigen Finger in die Zuckerdose, hast du verstanden?«, sagte Margaret zu ihm.

Owen sagte, er hätte verstanden, und ging in die Küche. Andy und Leonard wuschen sich gerade die Hände und bemerkten nicht, wie Owen ein Knäuel Schnur aus der Krimskramsschublade nahm.

Owen ging wieder nach draußen und nahm den Messingtopf und die Schnur mit zu dem Apfelbaum hinter dem Haus. Er band die Schnur um einen der unteren Äste und befestigte das andere Ende mit einem Palstek, einem Seemannsknoten, den sein Vater ihm gezeigt hatte, am Deckelgriff.

Ein Palstek löst sich nie, egal wie fest man auch zieht. Owen zog mit aller Kraft ... der Knoten hielt, aber leider riss die Schnur. Also nahm Owen sie doppelt, machte einen neuen Knoten und zog und zog, bis die doppelte Schnur ebenfalls riss.

Jeden Augenblick konnten seine Brüder auftauchen, Owen spürte das. Andy würde sagen »Was machst du da?« und sich selbst drum kümmern. Das tat er jedes Mal, weil er so groß und stark war und immer tolle Ideen hatte. Owen war mager und hatte abstehende Ohren und er tat fast immer, was Andy sagte. Aber diesmal wollte er, dass es ganz allein seine tolle Idee war. Also überlegte er, was wohl Andy an seiner Stelle tun würde, um den Deckel abzubekommen.

Owen schnitt den Messingtopf mit seinem Taschenmesser von der Schnur und kletterte damit so hoch in den Baum, wie es nur ging. Er nahm die Schnur jetzt vierfach und knotete ein Ende sorgfältig um den Deckelgriff und das andere um einen dicken, frei stehenden Ast.

Andy und Leonard würden jeden Augenblick hier sein. Und Owen wollte ihnen so gern die kleinen Fläschchen mit getrocknetem Vampirblut und all die anderen Schätze aus dem Messingtopf präsentieren. Also packte er den Topf so fest er konnte und sprang vom Ast.

Er fiel und fiel. Er fühlte, wie die Schnur sich mit einem Ruck festzog und der Ast sich unter seinem Gewicht bog. Dann machte sein Körper *zong!* wie eine Peitsche und Owen wusste nicht mehr, wo oben und unten war.

Er kam erst wieder zu sich, als er auf dem Boden lag, über ihm der Baum mit seinen verschrumpelten Äpfeln und Zweigen, die sich schwarz gegen den grauen Himmel abzeichneten. Er hielt immer noch den Messingtopf in der Hand, aber der Deckel baumelte im Himmel, festgehalten von der Schnur.

Es tat erst weh, als Owen begriff, wie tief er gefallen war, aber nicht zu sehr. Der Boden um ihn herum war mit kleinen Schachteln bedeckt. Auf allen stand das Gleiche: *Bryant & May's, britische Sicherheitszündhölzer.*

Owen sammelte sie schnell ein und legte sie zurück in den Messingtopf. Dann kletterte er auf den Baum, schnitt den Deckel ab und brachte alles in sein Versteck unter der Verandatreppe. Andy und Leonard kamen in den Garten hinaus, aber sie sahen ihn nicht und gingen zurück ins Haus.

Wieder und immer wieder hatten Horace und Margaret ihren Söhnen gepredigt, nicht mit Zündhölzern zu spielen. Aber diese hier waren so uralt! Owen war sicher, dass sie nicht mehr brannten. Er nahm eine der Schachteln, öffnete sie und zog ein einzelnes, krummes Streichholz heraus. Es war mindestens hundert Jahre alt. Dann rieb er es an der Zündfläche.

Nichts.

Also probierte er es mit noch einem und noch einem, schließlich stank es und dann entzündete sich das Streichholz und verbrannte um ein Haar Owens Finger.

Owen warf es schnell auf einen Haufen welker Blätter, die sofort in Brand gerieten. Er kickte etwas Sand darauf und trat das Feuer mit seinen Turnschuhen aus.

Danach war Owen so erleichtert, dass er die Streichhölzer beinahe weggeworfen hätte. Er hätte das ganze Haus abbrennen können! Sein Vater hoffte zwar, das Haus würde durch irgendeine Katastrophe zerstört, damit sie von der Versicherung ein neues bekämen, aber vielleicht zählte ein Feuer bei der Versicherung nicht. Die waren sehr mäkelig, was die Art der Katastrophe anging.

Statt also weiter das Haus niederzubrennen, ging Owen zum Graben, der ein Stück entfernt lag, hockte sich in das hohe Gras und zog wieder die Streichhölzer heraus.

Das Gras war höher als Owen und durch den trockenen Sommer ganz verdorrt. Owen begann mit einem kleinen Feuer, einem wirklich winzigen aus ein paar dürren Ästchen. Die Flammen breiteten sich langsam und behutsam aus und verwandelten die Zweige in glimmende Locken. Dann wurden sie schwarz und die Glut ergriff andere Zweige.

Nun kam ein leichter Wind auf. Die Glut wanderte von den Zweigen zu dem hohen, trockenen Gras, und bevor Owen begriff, wie ihm geschah, war er umgeben von einer Mauer aus Feuer!

Owen rannte durch ein Loch in den Flammen, versteckte sich unter der Veranda und hielt für zehn Sekunden den Atem an. Dann schielte er hinaus und sah, dass die Flammenwand gerade auf das Haus zukam.

Er lief ins Haus, um seine Mutter zu warnen. Aber Margaret saß mit ihren Freundinnen beim Bridge und sie unterhielten sich so laut, dass Owen nicht wusste, wie er sich bemerkbar machen konnte. Also stellte er sich mitten ins Zimmer und schrie: »Schaut aus dem Fenster!«

Er brachte es nicht über sich, »Feuer!« zu rufen. So sehr schämte er sich. Und er wagte auch nicht, selber aus dem Fenster zu blicken. Er setzte sich einfach hin und schlug die Hände vor die Augen.

»Mom! Da draußen!«, schrie Andy.

Die Damen sprangen alle auf und liefen zum Fenster. Sie sagten solche Sachen wie: »Schaut euch das an!« und »Das ist ja mal was!« Und nach einer Weile kehrten sie zurück zu ihrem Bridgespiel.

Margaret berührte Owen an der Schulter und sagte sanft: »Du kannst die Augen ruhig wieder aufmachen.«

Owen ging zum Fenster und sah erstaunt hinaus. Draußen war es fast schwarz und es goss in Strömen. Es war einer dieser plötzlichen Gewitterstürme. Andy und Leonard klebten am Fenster, um keinen der Blitze zu verpassen. Owen starrte hinüber zu dem dunklen Fleck im Graben, wo das hohe Gras gestanden hatte, und versuchte zu begreifen, wie es nur geschehen konnte, dass genau in dem Moment, als die Katastrophe unmittelbar bevorstand, die Rettung kam.

Einer der Damen fiel ein, dass sie ihr Autofenster offen gelassen hatte, und Owen bot sich freiwillig an, es zu schließen. Binnen weniger Sekunden war er völlig durchweicht. Auf dem Rückweg hockte er sich unter die Veranda und legte alle Streichholzschachteln zurück in den Messingtopf. Er drückte den Deckel so fest zu, dass ihn hoffentlich niemand mehr würde öffnen können. Dann trug er den Topf zurück ins Haus und stellte ihn wieder auf den Kaminsims, trocknete sich ab und wartete darauf, dass sein Vater nach Hause käme.

Owen war sicher, dass sein Vater das verbrannte Gras im Graben bemerken würde, und er wusste genau, was dann geschah. Horace würde zum Küchenschrank gehen und das krumme Lineal herausholen, mit dem er die Jungs züchtigte.

Horace hatte ihnen oft von dem Lineal erzählt. Er hatte es geklaut, als er in der dritten Klasse war, und hatte es all die Jahre aufgehoben als Mahnung, wie wichtig es war, ehrlich zu bleiben im Leben. Die meisten der Zahlen und Markierungen waren nicht mehr lesbar und es war wirklich nur noch für Schläge zu gebrauchen.

Aber als Owens Vater nach Hause kam, regnete es immer noch so stark, dass es schien, als würde das Haus von Ozeanwellen davongetragen werden. Wenn er den schwarzen Fleck im Graben bemerkt hatte, so sagte er jedenfalls nichts.

Die Bridgedamen waren gegangen und Margaret und die Jungs rannten wie verrückt im Haus herum, um Eimer unter die ganzen Lecks im Dach zu stellen. Am schlimmsten war es oben im Zimmer der Jungs. Über dem großen Bett, in dem die drei schliefen, gähnte ein riesiges Loch. Margaret stellte den Getreidetrog auf das Bett und genau in diesem Moment fiel Horace durch das Dach, auf das er mit einem Teertopf geklettert war, um das Loch zu schließen.

Glücklicherweise fiel Horace nicht ganz hindurch. Owen schaute hoch und wunderte sich über das zappelnde Bein. Holzsplitter, Stücke von Schindeln und Regen pladderten aufs Bett. Dann fiel Horaces Stiefel herunter und schoss quer durch den Raum. Er prallte vom Schrank ab und hinterließ einen teerigen Fußabdruck.

Margaret schrie ihrem Mann zu, er solle gefälligst sein Bein aus der Decke ziehen, aber er konnte nicht. Er war mit dem Oberschenkel fest eingekeilt, das andere Bein lag in einem schmerzhaften Winkel abgespreizt auf dem Dach. Er konnte sich nicht ohne Hilfe herausziehen. Der Regen fiel, und Horace sagte Dinge, die nur den allerschlimmsten Augenblicken vorbehalten waren.

Während seine Mutter Anweisungen hinaufrief, dachte Owen, dass alles seine Schuld war. Wenn er nicht den Topf geöffnet und das Feuer in Gang gesetzt hätte, wäre der Regen nicht so schnell und heftig gekommen. Er wusste jetzt, dass das alles etwas mit seinem toten Großvater zu tun haben musste, dessen Geist in dem Topf eingesperrt gewesen war und der den Regen ausgelöst hatte, um sie zu schützen. Aber nun gab es zu viel Regen und Horace war gefangen. Es war alles Owens Schuld.

»Wir brauchen einen Hammer«, sagte er.

»Was? Um sein Bein rauszuhämmern?«, quietschte Andy. Er konnte seine Stimme wie einen Korkenzieher hochschrauben, sodass alles lächerlich klang.

»Nein, um ein größeres Loch zu schlagen.«

»Aber der Hammer ist unten im Keller«, sagte Leonard.

Der Keller war der dunkelste, fürchterlichste Teil des alten Farmhauses. Vom Innern des Hauses führte keine Tür hinunter. Man musste von außen durch die alte, knarrende Klappe der Kohlenschütte. Und es gab kein Licht. Es roch nach Schimmel, Wasser rann den Kalkstein herab und in den Ecken lauerten Schlangen, Ratten und Schlimmeres.

»Ich gehe ihn holen«, sagte Owen schwach. Er musste irgendetwas Mutiges und Bedeutendes tun, um die Feuerkatastrophe wieder gutzumachen.

»Wir gehen alle«, erwiderte Andy.

Draußen peitschte der Regen stärker denn je. Owens Taschenlampe gab in der Nässe nach ein paar Sekunden den

Geist auf. Die Jungs gingen trotzdem weiter. Sie öffneten die Klappe und rutschten auf dem Hosenboden die Kohlenschütte hinunter. Es war so finster und kalt und gruselig, dass Owen die Luft wegblieb.

»Schsch!«, machte Andy und sie erstarrten.

»Was ist da?«, fragte Leonard, und bevor Andy antworten konnte, fing er an zu weinen.

»Nichts. Nur der Wind.« Aber so, wie Andy das sagte, hätte es genauso gut der Moddermann sein können.

Der Moddermann hatte den ganzen Sommer über Vieh gestohlen. Nachts kroch er aus dem Sumpf nahe der Ridge Road und glitschte über die Felder, wobei er gurgelnde Geräusche von sich gab. Dann wählte er die schwächste unter den Kühen aus – er bevorzugte Kälber, war aber stark genug, um es auch mit einem Bullen aufzunehmen – und quetschte ihr den Hals mit seinen langen Moddermannfingern zusammen, wobei Gift aus den Nägeln in die Kuh strömte, bis ihre Knochen nur noch Brei waren. Schließlich schlug er seine Zähne in ihren Schädel und schlürfte das Tier leer, zuerst das Gehirn, dann den Rest, bis am nächsten Morgen nur noch eine verschrumpelte Kuhhaut herumlag.

Wenn der Moddermann einen erwischte, gab es kein Entrinnen. Am besten war es, den Atem anzuhalten und zu hoffen, dass er einen möglichst schnell aufaß.

Leonard drehte sich um und lief schreiend die Kohlen-schütte hinauf. Owen versuchte es ihm gleichzutun, aber er konnte seine Füße nicht mehr bewegen. Dann machte Andy ein paar Schritte in die Dunkelheit hinein.

»Andy, pass auf!«, rief Owen. Eine Art Gurgeln war zu hören. Es schien unter der Werkbank hervorzukommen.

Andy sagte nichts. Das konnte man auch nicht, wenn einen der Moddermann erwischt hatte. Mit seinen grässlichen Fingern erstickte er die Wörter in einem.

Owen überlegte, ob er versuchen sollte, seinen großen Bruder zu retten oder doch lieber sich selbst.

Horace meinte immer, die Bullen würden vor einem fort-laufen, wenn man einfach nur stehen blieb – meistens jeden-falls. Also überlegte Owen, ob das beim Moddermann nicht ähnlich war. Vielleicht musste er einfach nur auf ihn drauf-springen, dann wäre der Moddermann so überrascht, dass er Andy für einen Moment loslassen und vergessen würde, ihm das Gift einzuspritzen.

Aber Owen wusste natürlich auch, dass der Moddermann zum größten Teil aus Moormodder bestand, in dem man wie in Treibsand versank und nicht mehr herauskam. Je mehr man dagegen ankämpfte, umso schlimmer wurde es. Man sank und sank immer tiefer, zuerst bis zu den Knien, dann bis zum Bauch. Wenn man die Hände hob, um sich zu befreien, sank man nur umso schneller – geradewegs hinein in den Moddermann!

»Andy?«, fragte Owen.

Keine Antwort.

Owen hätte wegrennen sollen, denn nun wusste der Moddermann, wo er war. Er drehte sich um, aber alles war schwarz. Er wusste nicht mehr, von wo er hereingekommen war. Er hörte noch mehr Gegurgel und versuchte nachzudenken, was zu tun war.

Dann legte ihm der Moddermann eine glitschige Hand auf die Schulter. Owen schrie ihm geradewegs ins Gesicht. Es war zu dunkel, um irgendetwas zu sehen, aber der Schrei war genau richtig gewesen, denn Andy schaffte es zu entkommen und lief geradewegs in Owen hinein. Sie fielen übereinander, kamen aber so schnell wieder hoch, dass der Moddermann keine Chance hatte. Andy fand die Kohlenschütte und sie stürzten hinaus.

Den Hammer hatten sie völlig vergessen. Aber das war nicht weiter schlimm, denn Horace hatte es allein geschafft, sein Bein zu befreien. Er war nicht verletzt, aber das Loch war noch da und das Bett inzwischen völlig durchweicht.

Sie schoben das Bett in eine Ecke und Margaret stellte den großen Getreidetrog in die Mitte des Raumes, um den Regen aufzufangen, der unverdrossen durchs Dach strömte.

Das Loch in ihrem Schlafzimmer blieb noch ein paar Tage, bis Horace schließlich einen Mann engagierte, der es fachgerecht reparierte.

Dabei hatte Owen es geliebt, im Bett zu liegen, hinauf zu den Sternen zu gucken und anstelle der Holzdecke den Himmel zu sehen. Er musste viel an seinen Großvater denken, an all die Orte auf der ganzen Welt, zu denen der Messingtopf mit ihm gesegelt war. Wie tröstlich war der Gedanke, dass ein spezieller Geist auf ihn aufpasste! Und er konnte sich endlich selbst verzeihen, dass er fast das Haus abgebrannt hatte. Schließlich hatte er seinen Vater retten wollen und dafür den Mut aufgebracht, sich dem Moddermann entgegenzustellen. Lange erzählte er niemandem davon, aber die Geschichte brannte in ihm wie ein kleines Feuer, das ganz allein ihm gehörte.

Die Frau des Moddermannes

In der Nähe des Farmhauses gab es ein Haus, in dem es spukte. Es lag im Wald, neben der Bullenwiese, und weil es darin spukte, war es unbewohnt.

Keiner wusste, warum das Haus da mitten im Wald stand. Um das Haus herum hatte man extra die Bäume gerodet. Die Vordertür war zugenagelt, aber man konnte ganz einfach durch das Fenster daneben steigen. Das *Betreten verboten*-Schild war abgefallen und lag mit Moos bewachsen auf der Erde.

Das Haus war niemals fertig gestellt worden. Um in den zweiten Stock zu gelangen, musste man die Balken hochklettern, die Mauern hatten Öffnungen statt Türen.

Man konnte von Zimmer zu Zimmer sehen und erkennen, wo die elektrischen Leitungen, die Wasserrohre und der Abzug des Ofens hätten liegen sollen. Owen hatte schon mal einen Türknauf auf dem Boden gefunden und Andy ein Messer mit Horngriff und einer rostigen Klinge, die er ölte und wieder schärfte. Leonard fand eines Tages einen Tischlerhammer mit abgebrochener Spitze. Rostige Nägel lagen herum und seltsam geformte Holzstücke.

Und genau in der Mitte des Raumes, der wohl das Wohnzimmer hatte werden sollen, prangte ein rotes Sofa. Jedes Mal, wenn die drei Brüder kamen, schien es, als hätte jemand auf dem Sofa gesessen. Daher wussten sie auch, dass das Haus verhext war, und hielten sich nur tagsüber und auch immer nur ganz kurz dort auf.

Die Wochen vergingen, es wurde kälter, und dann war auch schon Halloween. Owen ging als Familien-Superheld Doom Monkey, der Unberechenbare, Andy war Frankenstein und Leonard eine lebende Leiche.

Es war das erste Halloween, an dem sie allein rausgehen durften, aber nur, wenn sie auch zusammenblieben, und Andy meinte, sie sollten etwas wirklich Furchtbares tun, das sie nie vergessen würden. Owen fand das eine großartige Idee, aber Leonard war ängstlich. Er mochte ja noch nicht einmal bei helllichtem Tag in das Spukhaus gehen.

Leonard stimmte erst zu, als Andy versprach, ihm all seine Schokoriegel zu geben und dafür Leonards geschälte Erdnüsse zu nehmen. Dieser Tausch fand auf der Straße statt und Leonard bestand darauf, gleich zwei Schokoriegel auf einmal zu verschlingen. Und als er das getan hatte, aß er noch einen dritten, aber er war immer noch ängstlich.

»Ich warte hier auf euch!«

»Komm schon!«, sagte Andy. »Du warst einverstanden. Du hast meine ganze Schokolade gefuttert.«

Leonard versuchte alles, um sich herauszureden, aber die Schokolade klebte noch in seinem Gesicht und er musste mit. Er wimmerte die ganze Zeit vor sich hin, als sie den Pfad einschlugen, der durch den Wald zum Spukhaus führte. Vorneweg ging Andy mit Owens Taschenlampe, die wieder funktionierte, obwohl die Batterien bereits ziemlich schwach waren. Leonard hatten sie in die Mitte genommen, damit er nicht weglief.

Es war eine kalte Nacht und die Finsternis im Wald war fast so finster wie die Finsternis im Keller. Leonard hielt sich an einem Kettenglied von Andys Frankensteingürtel fest, bis sie so langsam wurden, dass Andy sich umdrehte und Leonard direkt in die Augen leuchtete.

»Lass das!«, sagte Leonard.

»Dann lauf schneller!«, sagte Andy. »Du machst es nur noch gruseliger!«

Das Haus sah aus wie ein großer schwarzer Schatten. Andy

richtete die Taschenlampe darauf, aber sie konnten in dem schwachen Licht nicht viel erkennen.

Owen hatte viel unter der Bettdecke gelesen und sein Taschengeld für Comics statt für neue Batterien ausgegeben, sodass die drei jetzt, wo sie dringend starkes Licht brauchten, echte Probleme hatten. Aber nun waren sie schon so weit gekommen, dass sie nicht mehr umkehren konnten.

»Ich will nur einen Blick auf die Couch werfen«, sagte Andy. »Wenn es einen Geist gibt, dann sitzt er möglicherweise nachts darauf.«

»Warum müssen wir das sehen?«, fragte Leonard.

»Es könnte der Moddermann sein«, sagte Owen. Vermutlich schätzte selbst der ein trockenes Plätzchen zum Schlafen.

»Ich habe über diesen Geist nachgedacht«, sagte Andy, hockte sich hin und machte die Taschenlampe aus, um die Batterien zu schonen.

»Was?«, fragte Leonard. Sie hockten sich alle neben Andy und senkten die Stimme.

»Es gibt da so eine Geschichte, dass der Moddermann eine Frau hat.«

»Eine Frau!«, rief Leonard viel zu laut und hätte fast gelacht.

Andy und Owen machten: »Schsch!«

»Wozu braucht der Moddermann eine Frau?«, kicherte

Leonard. »Um den Sumpf zu putzen? Seine Moorhemden zu bügeln oder seine Matschsocken zusammenzulegen?«

»Glaubst du, dass es das ist, wofür man eine Frau braucht?«, fragte Andy ruhig und Leonard hörte auf zu lachen.

»Es gibt noch mehr«, räumte Leonard kleinlaut ein.

»Ach ja?«, sagte Andy. »Wozu braucht man eine Frau?«

Leonard dachte lange nach. »Fürs Geschirr.«

»Was ist mit Babys?«, fragte Andy.

»Ja«, sagte Leonard.

»Was ja?« Andys Stimme war scharf.

»Männer können auch Babys bekommen!«, platzte Leonard heraus.

»Nein!«, sagte Andy, und diesmal musste Owen »Schsch!« machen, um ihn zu dämpfen. Andys Stimme wurde freundlicher. »Es ist nämlich so, man braucht eine Frau, wenn man ein Baby haben will. Wir können kochen und putzen und bügeln und nähen, was immer du willst. Wir können es zumindest lernen. Aber ein Mann kann nicht lernen, ein Baby zu bekommen. Das hat noch keiner geschafft!«

»Also sind Mädchen klüger als wir?«, fragte Leonard. Das war schlichtweg unmöglich.

»Es gibt Dinge, die Frauen nicht tun können«, sagte Andy mit Nachdruck. Dann war es eine Weile still, während er überlegte, welche das wohl sein könnten.

»Natürlich gibt es die«, sagte Owen. »Sie können keinen Kühler einbauen.« Ihm war eingefallen, wie der Kühler in ihrem Auto kaputtgegangen war und ihr Vater den Wagen in eine Werkstatt gebracht hatte, wo er von einem Mann repariert worden war.

»Das könnten Frauen lernen«, sagte Leonard.

»Aber dann müssten sie sich die Hände schmutzig machen«, sagte Andy, doch es klang nicht sehr überzeugt. Gerade vor ein paar Tagen hatte sich ihre Mutter die Hände dreckig gemacht, als sie ein Abflussrohr unter dem Spülbecken angeschraubt hatte. Möglicherweise lernte sie in zehn Minuten, einen Kühler zu reparieren. »Frauen können nicht Eishockey spielen«, sagte Andy dann.

»Und was ist mit Sheila?«, fragte Owen.

Sheila war das kleine Mädchen auf Schlittschuhen, das alle Tore für die Riverdale Hornets geschossen hatte.

»Sie hat einen guten Schlag«, gab Andy zu. »Aber so schrecklich gut ist sie nun auch wieder nicht«, schränkte er ein.

»Wenn wir uns sehr anstrengen«, sagte Owen, »wenn wir viel Zeit mit Mädchen verbringen, kriegen wir vielleicht raus, wie man Babys bekommt.«

»Zeit mit Mädchen verbringen!«, johlte Andy. »Was für eine blöde Idee!«

»Wir könnten Mom fragen«, schlug Leonard vor, aber Andy schüttelte den Kopf.

»Frauen verraten das nicht«, sagte er. »Ich habe Dad gefragt und er hat nur gelacht und gesagt, frag deine Mutter. Also hab ich sie gefragt, aber sie hat's mir nicht gesagt. Es ist ein großes Geheimnis.«

Er erhob sich und knipste die Taschenlampe an. Der Lichtstrahl war wirklich sehr schwach.

»Was ist mit der Frau vom Moddermann?«, fragte Leonard. Also hockte Andy sich wieder hin und erzählte die Geschichte.

Der Moddermann war in seinem früheren Leben Nuklearbiologe in einem geheimen unterirdischen Labor der Regierung gewesen. Eines Tages vermischte er Säure mit Plutonium und es gab eine fürchterliche Explosion. Der Wissenschaftler überlebte nur knapp und stolperte mitten in der Nacht ins Moor, wo er ohnmächtig wurde. Der größte Teil seiner Haut war während der Explosion verbrannt, aber das kalte Wasser und das schwarze Moos im Moor linderten seine Schmerzen. Wegen des Plutoniums nahm er die natürliche Radioaktivität der ihn umgebenden Mineralien auf und erhielt ewiges Leben. Trotzdem musste er alle 24 Stunden einen Körper essen, um seine Kraft zu erhalten.

Eines Tages verspürte er den Wunsch nach einem Kind.

Weil er ein Mann war, wusste er natürlich nicht, wie er das anstellen sollte, also musste er eine Frau finden. Aber keine Frau konnte ihn auch nur anschauen, ohne vor Angst fast ohnmächtig zu werden. Verzweifelt begab er sich in ein Waisenhaus und entführte ein blindes Mädchen, dessen Vater seine eigene Cousine geheiratet hatte.

»Man kann von Glück sagen, dass sie nicht zwei Köpfe hatte«, sagte Andy. »Jeder weiß, dass man seine Cousine nicht heiraten darf.«

Die Blinde mochte den Moddermann ganz gern, aber sie beklagte sich über seinen modrigen Geruch. Außerdem wollte sie in einem richtigen Haus leben, weil das Moor so nass war und im Winter zufror. Und weil sie so nett zu ihm war, beschloss der Moddermann, ihr ein Haus im Wald zu bauen.

Er machte das ganz allein, indem er Holz aus Sägewerken stahl. Mit seiner unermesslichen Kraft errichtete er das Fundament, zog die Wände hoch und stellte die Dachbalken auf. Aber kurz bevor er mit allem fertig war, wurde seine Frau krank. Die Radioaktivität, die ihm seine Kraft verlieh, brachte sie um. Er stellte die rote Couch auf, damit sie darauf sitzen konnte, während er an dem Haus arbeitete. Aber sie starb, bevor er fertig war, also gab er das Haus auf und zog sich wieder ins Moor zurück.

Als Andy mit seiner Geschichte fertig war, schwiegen Leonard und Owen lange Zeit. Dann fragte Leonard: »Hat sie ihm gesagt, wie man ein Baby bekommt, bevor sie gestorben ist?«

»Nein.«

»Meinst du nicht, sie könnte es ihm gesagt haben?«, überlegte Leonard. »Denn sie liebte ihn doch und sterben tat sie sowieso, und es war ja klar, dass er nie eine andere Frau finden würde.«

»Ich glaube nicht, dass sie ihn geliebt hat«, sagte Andy. »Sie hat eine Weile lang geglaubt, dass sie ihn liebt, aber dann war sie wütend auf ihn, weil er sie krank gemacht hat. Also hat sie sich entschieden, es ihm nicht zu verraten.«

»Es war aber nicht seine Schuld, dass sie krank geworden ist«, sagte Owen. »Er konnte es schließlich nicht wissen.«

Andy stand auf und machte die Taschenlampe an. »Wir haben nur ein paar Minuten«, sagte er. Das Licht war sehr, sehr schwach. »Ich will nur gucken, ob sie auf der Couch sitzt. Sie kann uns nicht sehen, weil sie ja blind ist«, fügte er hinzu.

»Aber sie kann uns hören«, sagte Leonard.

»Los, kommt!«, sagte Andy in einem Ton, dass man ihm folgen musste. Er hätte damit Schneemänner zu einem Spaziergang in der Sommersonne anstiften können!

Sie schlüpften durch das Fenster neben der mit Brettern

vernagelten Haustür, dann standen sie ganz still, atmeten kaum, während Andy den schwachen Lichtstrahl durchs Haus wandern ließ.

»Siehst du was?«, fragte Leonard.

»Bin nicht sicher«, sagte Andy und machte einen Schritt vorwärts.

»Was ist da?«, fragte Owen.

»Schsch!«, machte Andy.

Das Licht begann zu flackern, dann erlosch es.

»Lasst uns gehen«, sagte Leonard und wollte zurück durchs Fenster.

Aber Andy hielt ihn an seinem Lebender-Leichnam-Kostüm fest. »Wir müssen zusammenbleiben«, flüsterte er.

»Warum?«, fragte Leonard.

»Schsch!«

Andy machte noch ein paar Schritte. Der Vollmond schien durch eines der Fenster. Er schien genau neben die Couch, sodass die in tiefem Schatten lag.

»Siehst du was?«, fragte Owen.

»Bin nicht sicher«, sagte Andy und machte noch ein paar Schritte vorwärts. Leonard und Owen blieben in der Nähe des Fensters.

»Andy?«, rief Owen.

»Schsch!«, machte Andy. »Ich denke nach …«

Es gab einen lauten Krach und Andy schrie auf. Schluchzend umklammerten Leonard und Owen einander und drängten sich an die Wand.

Dann herrschte Stille.

Owen flüsterte: »Andy?«

Nichts.

»Andy, bist du okay?«

Sie hörten in der Dunkelheit jemanden wimmern.

»Warte hier«, sagte Owen zu Leonard. »Wenn mir irgendwas passiert, lauf nach Hause und hol Hilfe.«

Leonard nickte mit grimmiger Entschlossenheit.

Owen machte einen Schritt nach vorn.

»Andy? Kannst du mich hören?«

Noch einen Schritt und noch einen.

»Andy?«

Ein leises Seufzen. Owen blieb stehen und versuchte in der Dunkelheit etwas zu erkennen. Er konnte die Umrisse der Couch ausmachen. Irgendetwas war anders als sonst, da war etwas besonders Schwarzes. Er machte noch einen Schritt nach vorn.

»Hier bin ich«, sagte Andy. »Tritt nicht …«

Zu spät. Owen war bereits in das Loch getreten, durch das Andy gefallen war, und Leonard, der natürlich nicht wie verabredet stehen geblieben war, fiel auf sie beide drauf.

»Autsch!«, sagte Leonard und schüttelte seine Hand. »Ich hab mir 'nen Splitter eingezogen.«

»Hör auf zu heulen!«, sagte Andy. »Ich glaube, ich hab mir das Bein gebrochen.«

Offenbar tat Andys Bein wirklich sehr weh, außerdem war die Taschenlampe in seiner Hosentasche kaputtgegangen. Stückchen für Stückchen holte er die einzelnen Teile heraus, die Owen in der Finsternis kaum erkennen konnte.

Die Situation war so ernst, dass Owen Andy nicht böse war. Stattdessen wandte er sich an Leonard. »Du hättest Hilfe holen sollen!«

»Wir müssen hier raus«, sagte Andy. Er stützte sich auf die Schultern seiner Brüder und langsam schleppten sie ihn durch den Keller, in der Hoffnung, eine Treppe zu finden. Sie hatten diesen Teil des Hauses vorher nie untersucht und waren gar nicht sicher, ob es überhaupt eine Treppe gab.

Leonard fing an zu weinen. Also setzten sie sich wieder unterhalb des Loches, durch das sie gefallen waren, auf den Boden und aßen Süßigkeiten aus ihren Beuteln.

Owen musste die ganze Zeit daran denken, was er wohl auf der Couch gesehen hatte. Es war schmal und verschwommen gewesen, hätte aber durchaus *sie* sein können.

»Ich glaube nicht, dass es eine Treppe gibt«, sagte Andy. »Wir müssen durch das Loch zurück.«

»Es ist direkt neben der Couch«, sagte Owen.

»Sie hat uns längst gehört«, sagte Andy. »Wenn sie überhaupt da ist.«

»Hast du sie denn nicht gesehen?«

»Ich bin nicht sicher, was ich gesehen habe.«

Sie aßen Lakritz, Bonbons, Schokoküsse und Karamellpopcorn und kauten Kaugummi. Sie kauten so leise sie nur konnten, aber das Mahlen ihrer Kiefer klang für Owen wie Hammerschläge auf einem Eimer.

»Sie könnte weggegangen sein«, sagte Owen.

»Was?«

»Um den Moddermann zu holen.«

Einen Moment lang war Andy still. »Wir sollten hier abhauen«, sagte er dann.

Owen und Leonard stellten sich hin und halfen Andy auf. Dann schauten sie hoch zum Loch über ihren Köpfen. Normalerweise würde Andy zuerst hindurchklettern und den anderen heraushelfen, aber mit dem gebrochenen Bein konnte er das natürlich nicht. Also war Owen an der Reihe. Aber als Leonard ihn hochheben wollte, purzelten sie beide übereinander.

»Du musst Leonard hochheben«, sagte Andy.

»Ich gehe nicht als Erster!«, sagte Leonard.

»Du musst, es ist sonst keiner da!«

»Vergesst es!«, sagte Leonard.

Um ihn zu überreden, musste ihm Owen all seine restlichen Schokoriegel überlassen und dafür Leonards Äpfel und Rosinen nehmen. Aber Leonard wollte immer noch nicht gehen, bevor er nicht vier weitere Schokoriegel gegessen hatte.

»Wenn du oben bist«, sagte Andy, »dann sieh dich nach einem Seil oder einem langen Stock um, nach irgendwas, das uns hilft, hier rauszukommen.«

Owen hob Leonard mit so viel Schwung hoch, dass er fast aus dem Loch schoss und sofort verschwand.

»Leonard?«, rief Andy. »Alles in Ordnung?«

Leonard antwortete nicht.

»Vielleicht hast du ihn zu weit geworfen«, sagte Andy zu Owen.

Sie riefen noch einmal und schließlich antwortete Leonard: »Ich seh was!«

»Was? Was ist es?«

»Schsch!«, machte Leonard. Über ihnen erklangen seine Schritte. Dann stoppten sie für einen Moment, gingen weiter, hielten wieder an. Owen und Andy hörten Leonards dünnes Stimmchen. »Wer bist du?«, fragte er.

Keine Antwort. Leonard machte ein paar Schritte vorwärts, dann ging er zurück. »Bist du ein Geist?«, fragte er.

Stille.

Leonard sagte: »Das mit dem Moddermann tut mir Leid. Andy hat es mir erzählt. Dabei hätte es ein schönes Zuhause für Sie werden können.«

Leonard scharrte mit den Füßen, dann sagte er: »Mögen Sie Süßigkeiten?« Andy und Owen hörten keine Antwort. Aber dafür das leise Knistern von Bonbonpapier. Und dann kaute jemand. Minutenlang.

Leonard sagte: »Meine Brüder stecken unten im Keller fest. Ich muss eine Leiter finden, um sie rauszuholen. Aber zuerst möchte ich Sie etwas fragen.«

Owen konnte nicht glauben, dass der kleine Leonard sich einfach so mit einem Geist unterhielt! Aber Leonards Stimme war ruhig und normal und ungewöhnlich höflich.

»Was ich Sie gern fragen möchte«, sagte Leonard, »weil Sie doch eine Frau sind – oder eine Frau waren –, ist, wie bekommt man ein Baby? Ich möchte gern der erste Junge sein, der eins bekommt.«

Dann herrschte lange Zeit wieder Stille – mit Ausnahme der Kaugeräusche. Andy und Owen strengten sich an, um zu hören, was die Frau des Moddermannes antwortete, aber es war sehr, sehr leise – wie das Flüstern des Windes oder das Kratzen eines Zweiges gegen eine Glasscheibe.

Schließlich sagte Leonard: »Aha, ich verstehe. Vielen Dank. Und Ihr Schicksal tut mir wirklich sehr Leid.«

Dann lief er wieder über den Boden, so flink, als herrschte Tageslicht und nicht stockdunkle Nacht, und augenblicklich wurde eine Art Leiter heruntergelassen. Sie war aus dem übrig gebliebenen Holz zusammengehämmert worden, aber Owen und Andy hatten sie vorher nie im Spukhaus herumliegen sehen.

Andy stieg als Erster auf die Leiter, Owen drückte ihn von unten hoch.

Sobald sie oben waren, blickten sie sich um, aber Leonard sagte: »Sie ist jetzt weg.«

»Du hast sie gesehen? Du hast die Frau des Moddermannes gesehen?«

»Ich hab ihren Schatten gesehen«, sagte Leonard.

»Wir haben gehört, wie du mit ihr gesprochen hast. Aber wir konnten nicht verstehen, was sie gesagt hat.«

»Nein?«, fragte Leonard.

»Wir haben nur dich gehört!«, sagte Owen. Überall waren Schatten. Jeder von ihnen hätte die Frau des Moddermannes sein können.

»Wir sollten lieber nach Hause gehen«, sagte Leonard.

Sie halfen Andy aus dem Fenster. Es war wirklich eine Nacht wie geschaffen für Wunder: Je weiter sie sich vom Spukhaus entfernten, desto besser ging es Andys Bein. Und als sie an der Straße ankamen, war es nicht länger gebrochen.

Andy ließ seine Brüder heilige Eide schwören, den Eltern niemals von dem Spukhaus zu erzählen, denn sonst würden sie den Jungs nie mehr erlauben, an Halloween allein rauszugehen.

Kurz bevor sie die Farm erreichten, hielt Andy Leonard an und sagte: »Was hat die Frau des Moddermannes gesagt, als du sie gefragt hast, wie man ein Baby bekommt?«

Leonard sagte, er würde es ihnen erst verraten, wenn er auch den Rest all ihrer Süßigkeiten bekommen hätte. Sie schrien und tobten, aber Leonard blieb stur. Also leerten sie ihre Beutel in seinen und er stopfte Bonbons und Schokonüsse in seinen Mund.

»Jetzt aber los, abgemacht ist abgemacht!«, sagte Andy.

Leonard kaute langsam. Er schien irgendwie älter geworden zu sein.

»Bitte, Leonard!«, bat Andy schließlich. »Was hat sie gesagt? Wie bekommt man ein Baby?«

»Es ist ein Geheimnis. Sie wollte es mir nicht verraten«, sagte Leonard und wischte sich den Mund ab. »Weil ich ein Junge bin.« Und er lief schnell ins Haus, bevor seine Brüder ihn schnappen konnten.

Valentinstag

O wen hatte ein höchst privates und schreckliches Geheimnis. Er war verliebt, und das auch noch in ein Mädchen. Ihr Name war Sylvia.

Am ersten Schultag mussten sich die Kinder immer einen Platz aussuchen, der dann für den Rest des Jahres der ihre war. Owen schaute, wo Sylvia sich hinsetzte. Dann steuerte er den Tisch an, der am weitesten von ihrem entfernt war. Aber sobald er ihn mit Beschlag belegt hatte, wusste er, dass das ein fürchterlicher Fehler gewesen war. Wochenlang stellte er sich vor, wie ein Flugzeug mit über tausend Stundenkilometern plötzlich vom Himmel fiel, direkt durch das Fenster in die Klasse. Während alle anderen Kinder zur Tür liefen, würde er sich auf Sylvia stürzen und sie mit sich unter einen Tisch ziehen, sodass das Flugzeug sie nicht erwischte. Alle anderen wären dann tot und Sylvia müsste ihn heiraten.

Es war keine schöne Schule. Der Direktor war lang wie

eine Bohnenstange und völlig kahl bis auf ein paar lockige graue Haare, die aus seinen Ohren quollen, und ein paar rote Borsten, die aus seiner Nase wuchsen. Er hieß Mr Schneider. Die meiste Zeit bekamen die Kinder ihn nicht zu Gesicht. Sie hörten nur davon, wie gemein er war. Alle wussten, was passierte, wenn man zu ihm geschickt wurde. Man musste sich über seinen großen schwarzen Schreibtisch beugen. Dann zog Mr Schneider den Riemen heraus. Wenn man schrie, gab es einen Extrahieb.

Mr Schneider war so alt, dass es nur noch diese eine Sache gab, die er gut konnte.

Die Lehrer verängstigten die Kinder so sehr mit Geschichten über Mr Schneider und seinen Riemen, dass, sobald einer von ihnen die Klasse verließ, irgendein Schüler auf seinen Tisch sprang und rief: »Rührt euch ja nicht, oder ihr bekommt den Riemen!«

Dann sprang ein anderer auf den Tisch und kreischte: »Aber du hast dich ja schon gerührt! Er wird uns alle auspeitschen!«

Und dann sprangen fast alle auf ihre Tische und schrien und schlugen sich, bis jemand rief: »Schsch! Da kommt jemand! Es ist Mr Schneider!«

Sofort hüpften alle von den Tischen, setzten sich aufrecht auf ihre Stühle, falteten die Hände und hielten den Atem an.

Draußen ertönte das *Klack-klack* von Schritten im Flur. Wenn niemand zu ihnen hereinsah, gab es diesen schrecklichen Augenblick der Ruhe, da jeder wusste, dass sie nun eigentlich so, mit gefalteten Händen, sitzen bleiben müssten. Aber wie konnten sie das? Zuerst holte ein Kind Luft, dann ein anderes, und bevor sie es recht begriffen, waren sie wieder alle auf den Tischen und tanzten und schrien.

In der Pause liefen sie kreischend von einem Ende des Schulhofs zum anderen und wieder zurück. Die Mädchen jagten die Jungs, und wenn sie sie gefangen hatten, küssten sie sie. Die Mädchen waren größer als die Jungs. Quer über den Schulhof war eine weiße Linie gezogen, um die Mädchen davon abzuhalten, die Jungs zu jagen, aber das half nichts. Die Mädchen warfen einen Blick auf die Linie und rannten dann rüber. Und die Lehrer kümmerten sich nicht darum. In der Pause saßen sie im Lehrerzimmer und rauchten. Man konnte den Rauch aus dem Fenster quellen sehen, sogar wenn es geschlossen und die Vorhänge zugezogen waren. Die Lehrer wollten mit den Kindern in der Pause nichts zu tun haben. Manchmal vergaßen sie sogar die Glocke zu läuten, und die Mädchen küssten die Jungs stundenlang.

Aber Sylvia jagte niemals den Jungs hinterher. Sie war anders als andere Mädchen, einzigartig.

Die entscheidende Begegnung mit ihr hatte Owen, als er

41

eines Abends mit Andy von einem Hockeyspiel zurückkehrte. Es war Winter, alles kalt und schwarz, und ihre Schritte knirschten auf dem festgebackten Schnee. Sie trugen ihre Hockeyschläger und die Schlittschuhe über der Schulter und liefen stumm im Gänsemarsch hintereinanderher, als sie den Schulhof überquerten.

Zufällig sah Owen genau im richtigen Moment hoch. In einem der Klassenzimmer, wo die Kinder Klavierunterricht hatten, brannte Licht. Gerade als Owen vorbeiging, blickte ein kleines Mädchen auf. Sie hatte langes blassblondes Haar, ebensolche Wimpern und eine Haut, so zart, dass allein der Anblick himmlisch war. Ihre Augen waren blau mit hellen Sprenkeln, sie funkelten wie Edelsteine im Sommerlicht.

Das war Sylvia. Und genau in dem Moment, als Owen an ihrem Fenster vorbeiging, hob sie die Augen von ihren Noten und sah Owen an. Ganz kurz nur, aber sie sah ihm direkt in die Augen.

Es ist etwas Seltsames mit Fenstern bei Nacht. Wenn drinnen das Licht hell ist, können die, die draußen sind, alles ganz klar sehen. Aber die, die drinnen sind, sehen nur ein schwarzes Fenster mit einem Spiegelbild ihrer selbst. Sylvia konnte Owen nicht sehen, doch das begriff er nicht, jedenfalls nicht zu diesem Zeitpunkt. Erst sehr viel später, als er sein Gedächtnis um- und umkrempelte.

Aber in dieser Nacht fühlte er sich, als hätte er in die Fassung einer Glühbirne gelangt und einen Schlag bekommen. Er war verloren.

Am Valentinstag hatten alle Kinder herzförmige Briefkästen aus Pappe an ihre Tische geklebt. Wer nun jemandem einen Valentinsgruß schicken wollte, musste an den jeweiligen Tisch gehen und die Karte einwerfen. Owen wollte nicht, dass irgendjemand erfuhr, dass er hoffnungslos in Sylvia verliebt war, also schrieb er an jeden in der Klasse eine Karte. Als Sylvia an der Reihe war, fing seine Hand vor Aufregung an zu zittern und das Atmen fiel ihm schwer.

Owen war nicht gut im Kartenschreiben. Er hatte Mühe, beim Ausmalen zwischen den Linien zu bleiben, und das Buchstabieren fiel ihm schwer. Er wusste nicht, wie man Sylvia schreibt. Er schrieb *Dear* und *Love* und seinen eigenen Namen absolut perfekt, aber anstatt Sylvia mit einem S anfangen zu lassen, begann er mit C, weil er wusste, dass C in manchen Fällen wie ein S klingen konnte und vielleicht war das so ein Fall. Dann ging er von einem herzförmigen Briefkasten zum nächsten und warf seine Karten hinein.

Als er in die Nähe von Sylvias Tisch kam, konnte er kaum den Fuß heben und sein Gesicht glühte wie eine Tomate. Gerade, als er seine Karte in ihren Kasten werfen wollte, las er ihren Namen darauf und bemerkte, dass er mit einem S begann statt mit einem C. Aber es schien ihm unmöglich, jetzt die Karte nicht einzustecken, denn nun stand er schon da und sein Arm war schon ausgestreckt, und sie saß genau neben dem Kasten, und wenn sie sich jetzt umgedreht und ihn angeblickt hätte, so von ganz nah, wäre er womöglich auf der Stelle gestorben. Also stopfte er die Karte hinein, stürzte zurück auf seinen Platz und überlegte, wie Sylvia wohl klang, wenn man es mit einem C schrieb. Wenn man es für ein weiches C hielt, würde es immer noch wie Sylvia klingen. Hielt man es jedoch für ein hartes C, wurde daraus Kill-via, was zu Missverständnissen führen könnte.

Er musste seine Karte zurückbekommen. Aber wie konnte er aufstehen, seine Hand in ihren Herzkasten stecken und sie wieder herausziehen? Wie konnte er sicher sein, dass er auch die richtige erwischte? Ihr Kasten quoll über vor Karten. Um drei Uhr würde sie sie alle herausnehmen und eine nach der anderen lesen, und wenn sie die von Owen in die Hände bekäme, wäre sein Leben zu Ende.

Owen stand auf. Alle Kinder saßen nun wieder auf ihren Plätzen, weil Lesestunde war.

Die Lehrerin schrieb irgendetwas an die Tafel und drehte der Klasse den Rücken zu. Sie war eine plumpe, grauhaarige Frau mit Namen Mrs Harridan und sie hasste Kinder.

Owen ging zu Sylvias Tisch. Er musste durch die ganze Klasse. Die anderen Kinder fingen an zu flüstern, aber Owen konnte nicht anhalten. Seine Füße bewegten sich vorwärts und sein Gehirn hatte aufgehört zu denken. Er scheute keine Gefahr. Er musste diese vermaledeite Karte zurückbekommen!

Als er an Sylvias Briefkasten angelangt war, drehte sie sich um und sagte: »Was machst du da?« Das waren die ersten Worte, die sie an ihn richtete, und das, obwohl er sie vor unzähligen Flugzeugabstürzen gerettet hatte. Mrs Harridan drehte sich um und Owen steckte schnell seine Hand in Sylvias Herzkasten. Er versuchte die Karte ganz oben zu erwischen, aber irgendwie fielen alle heraus und landeten auf dem Boden. Eine der Heftklammern an dem Herzen löste sich und ein Teil der Spitzenverzierung fiel ab.

»Owen Skye!«, brüllte Mrs Harridan. Die Klasse wurde mucksmäuschenstill.

Owen wusste nicht, was er tun sollte. Auf allen Karten, die er auf dem Boden sah, war der Name Sylvia richtig geschrieben. Er hob ganze Stapel davon auf und versuchte sie zurück in den Kasten zu stopfen, aber noch mehr Heftklammern lösten sich und schließlich war der ganze schöne Herzbriefkasten total zerfetzt.

Die Kinder brachen in Gelächter aus, außer Sylvia, ihr Gesicht war purpurrot. Sie hatte ja so eine empfindliche Haut und war außerdem schüchtern. Dieses Gelächter musste ein Albtraum für sie sein.

Während er sich mit all den Karten abmühte, versuchte Owen »Entschuldigung« zu sagen, aber was herauskam, klang eher wie »Entschnudrigung«.

Mrs Harridan schickte Owen zum Direktor, Mr Schneider. Er musste allein den Gang hinuntergehen, vorbei an drei Klassenräumen, dann nach rechts und die Treppe hinauf. Jeder wusste, wo sich das Büro des Direktors befand, aber es schien, als hätte der Moddermann Owen in den Klauen gehabt und sein Gehirn in Suppe verwandelt. Er ging den Gang entlang und nach rechts, aber alles sah fremd aus. Er war noch nie hier gewesen, wenn es so leer war. Er ging nacheinander an den Klassenräumen vorbei, in denen die Schüler brav auf ihren Plätzen saßen und die Lehrer mit dem Zeigestock in der Hand irgendwas erzählten.

Endlich, als er schon glaubte, er habe sich verirrt und würde niemals in Mr Schneiders Büro ankommen, fand er es. Zitternd stand er vor der großen braunen Holztür und klopfte. Sein Gesicht und seine Ohren glühten noch immer und alles um ihn herum schien sich zu drehen.

Keine Antwort. Er klopfte noch einmal lauter und hörte Schritte, die zur Tür kamen. *Klack, klack, klack.*

Das war Mrs Lime, die Sekretärin des Direktors. Sie hatte breite Schultern, kleine Augen und trug eine Brille, die an einer schwarzen Schnur hing, damit sie nicht herunterfiel.

»Ja?«, fragte sie.

»Ich habe … ich bin … äh …«, sagte Owen.

»Hat man dich zum Direktor geschickt?«

»Ja, Ma'am.«

»Was hast du angestellt?«

Owen überlegte, wie er das, was er getan hatte, in wenigen Worten ausdrücken konnte. Schließlich sagte er: »Ich habe etwas falsch geschrieben.«

Mrs Lime nickte und sagte ihm, er solle sich auf einen der schwarzen Stühle vor Mr Schneiders eigentlichem Büro setzen, welches vom Sekretariat abging. Owen setzte sich mit durchgedrücktem Rücken hin, seine Füße reichten fast bis auf den Boden. Jetzt erst bemerkte er, dass er immer noch eine von den Karten umklammert hielt, die in Sylvias Herzkasten gewesen waren, bevor er ihn zerstört hatte.

Es war aber nicht seine. Sie stammte von Michael Baylor und darauf stand: *I loev you.*

Owen las es wieder und wieder. Also liebte Michael Baylor sie auch! Es war zu schrecklich, auch nur daran zu denken. Wenn das Flugzeug vom Himmel fiel, würden zwei von ihnen aufspringen, um Sylvia zu retten. Und Michael Baylor saß ein ganzes Stück näher, was sollte es also? Owen würde möglicherweise gerade rechtzeitig ankommen, um vom Fahrwerk getroffen zu werden.

Mr Schneider kam aus seinem Büro. Er war noch größer als gewöhnlich und sein grauer Anzug roch nach kaltem Zigarettenrauch. Er sah aus den Wolken auf Owen herab und dröhnte: »Wie heißt du?«

Owen stand auf, räusperte sich und sagte: »Michael Baylor.«

»Also, Michael Baylor. Was hast du angestellt?«

Owen erzählte ihm die ganze Geschichte. Er erzählte ihm, wie sehr er in Sylvia verliebt war, aber dass er ihren Namen falsch geschrieben hatte und deshalb versucht hatte, es zu korrigieren, obwohl er auf seinem Stuhl hätte sitzen bleiben müssen, weil doch Lesestunde war. Er ließ kein einziges Detail aus. Michael Baylor zu sein ließ ihn fast unbekümmert werden. Zum Schluss sagte er: »Sie können mir mit dem Riemen eins überziehen. Ich habe es verdient!«

Mr Schneider kratzte sich die Haare in der Nase und die in den Ohren. Dann räusperte er sich. Sein Gesicht war finster. Aber bevor er etwas sagen konnte, rief Mrs Lime von ihrem Schreibtisch her: »Es ist doch Valentinstag, Sir.«

Und Mr Schneider sagte, dass Owen versprechen müsste, nie wieder irgendwelche Art von Unruhe zu stiften, und

Owen sagte nein, Sir, das würde er nicht. Dann schickte ihn Mr Schneider zurück in die Klasse.

Owen betrat sie mit gestrafften Schultern und hoch erhobenem Kopf. Er setzte sich so vorsichtig hin, dass alle denken mussten, er hätte eins mit dem Riemen übergezogen bekommen. In allen Reihen wurde geflüstert und getuschelt, aber Owen tat so, als ginge ihn das nichts an. Er öffnete sein Heft und schrieb Zeile für Zeile – *LOVE LOVE LOVE* – und das O und das E standen bei ihm an der richtigen Stelle, anders als bei Michael Baylor. Er sah Sylvia nicht an und sie schaute nicht zu ihm, und als er nach Hause ging, warf er Michael Baylors Karte in den Müll und erzählte keinem Menschen etwas davon.

Doom Monkey,
der Unberechenbare

An einem Tag in jenem Winter zog Onkel Lorne bei ihnen ein. Er war Horaces Bruder und Junggeselle. Margaret pflegte zu Horace zu sagen: »Da kannst du mal sehen, was aus dir geworden wäre, wenn du mich nicht geheiratet hättest!«

Onkel Lorne war praktisch so groß wie das Haus und nur Haut und Knochen, weil er schon so lange für sich selbst kochen musste. Es war nicht leicht für ihn, passende Kleidung zu finden, aber das schien ihn nicht weiter zu bekümmern.

Seine Füße waren riesig und seine Hosenbeine endeten gewöhnlich mehrere Zentimeter über seinen Knöcheln. Seine Hemdsärmel hatten oft Risse und sein Schlips wies Spuren vergangener Mahlzeiten auf.

Er war schüchtern, sogar mit den Kindern. Nach der Arbeit pflegte er in der Küche Zeitung zu lesen, und wenn einer der Jungs auf der Jagd nach Doom Monkey, dem Unberechenbaren, brüllend hereingelaufen kam, sprang Onkel Lorne sofort auf, als hätte man ihn mit heruntergelassener Hose auf dem Klo erwischt.

Wenn jemand sagte »Hallo, Onkel Lorne!«, drehte er sich um und ging in den Keller, wo Horace ein Klappbett für ihn aufgestellt hatte. Margaret hasste dieses Bett und schlug Onkel Lorne immer wieder vor, die Schlafcouch im Wohnzimmer zu benutzen. Aber er zog es vor, im Dunkeln zu bleiben, trotz der Gefahr, hier mit dem Moddermann zusammenzutreffen. Er hatte eine Lampe angebracht, eine Treppe zur Küche gebaut und etwas Sperrholz auf den Boden gelegt und gesagt, es sei wie zu Hause.

Keiner konnte sagen, wann genau Doom Monkey, der Unberechenbare, auftauchen würde. Aus heiterem Himmel konnte plötzlich der Schrei ertönen: »Das ist ein Job für Doom Monkey!« Dann stürzten alle ins Schlafzimmer, um Doom Monkeys Hut des Grauens zu holen. Er war aus braunem Samt und mehrfach geflickt. Wer ihn sich aufsetzte, wurde zu Doom Monkey, dem Unberechenbaren, dem trickreichsten Kämpfer der westlichen Hemisphäre.

Einmal wurde Doom Monkey dringend gebraucht, um eine Invasion von Weltraumeidechsen zu bekämpfen. Andy grabschte sich den Hut als Erster, also waren Owen und Leonard die Eidechsen. Sie schrien sich die Lungen aus dem Leib und sausten ums Haus herum. Gerade, als Andy sie in die Enge getrieben hatte, verlor er den Hut des Grauens, und Owen wurde Doom Monkey. Nun bekamen die Eidechsen die Oberhand und Doom Monkey musste zusehen, wie er sich selbst retten konnte. Er lief hoch in das Schlafzimmer unterm Dach, verkroch sich im Wandschrank und ließ eine wahre Lawine von Kleidungsstücken auf die Eidechsen los. Dann sauste er wieder die Treppe runter und durchs Wohnzimmer und hockte sich hinter das alte grüne Sofa. Die Eidechsen glaubten, er sei in der Küche. Doom Monkey schlüpfte aus der Haustür, lief in Hausschuhen durch den Schnee zur Kohlenschütte und hinunter in den Keller, der nicht mehr ganz so Furcht erregend war, seit Onkel Lorne ihn etwas in Ordnung gebracht hatte.

Hier kroch Owen unter Onkel Lornes Klappbett. Dort war weniger Platz, als er vermutet hatte. Alles war voll mit Zeitschriften, dicken Hochglanzmagazinen mit Fotos von alten Autos. Da gab es glänzende Fords und Hudsons und kleine französische Sportwagen, die aussahen wie Torpedos auf Rädern. Auf fast allen Autos lagen wunderschöne Frauen herum oder beugten sich darüber, um die Scheinwerfer zu putzen, oder sie schauten in den Rückspiegel und zogen sich die Lippen nach. Owen hatte noch nie so viele Bilder von schönen Frauen gesehen. Der Hut des Grauens fiel ihm vom Kopf, während er unter dem Bett kauerte und alles betrachtete. Leider konnte er im Halbdunkeln nur die Hälfte erkennen.

Owen war so vertieft in die Bilder, dass er alles um sich herum vergaß. Plötzlich ging das neue Kellerlicht an. Owen erkannte ein Paar riesige Schuhe neben dem Klappbett. Er schrie vor Schreck auf und kroch schnell unter dem Bett hervor, wobei ihm die Magazine im Weg waren und die Seiten zerrissen. Dann stolperte er geradewegs in den kleinen Nachttisch und warf das Wasserglas um, in dem Onkel Lornes Ersatzpaar falscher Zähne lag.

»Hey!«, sagte Onkel Lorne und reckte sich, um nach Owen zu greifen, aber dabei stieß er mit dem Kopf an einen Deckenbalken und fiel um.

Genau in diesem Augenblick tauchten Andy und Leonard auf und wurden Zeugen der Katastrophe. Die Kinder wussten nicht, was sie mit Onkel Lorne anstellen sollten. Er war regelrecht k. o. geschlagen, der Balken hatte eine große Beule auf seiner Stirn hinterlassen. Und er war zu groß, um ihn aufs Bett zu hieven. Andy nahm das übrige Falsche-Gebiss-Wasser und goss es über Onkel Lornes Gesicht.

Onkel Lorne richtete sich langsam auf wie eine Mumie in einem Gruselfilm, und die Jungs liefen weg.

Onkel Lorne verlor nie ein Wort darüber und auch die Beule auf seiner Stirn verblasste nach einer Weile.

Ganz im Geheimen, mit gesenkter Stimme, sodass die Jungs mucksmäuschenstill sein mussten, um etwas zu verstehen, sprachen Margaret und Horace darüber, was aus Onkel Lorne werden sollte. Horace sagte, dass sein Bruder schon immer schüchtern gewesen sei und möglicherweise glücklich wäre, wenn er den Rest seines Lebens unten im Keller verbringen könnte. Aber Margaret dachte, dass Lorne vielleicht Mrs Foster von der Farm jenseits des Flusses heiraten könnte.

Mrs Foster war eine Witwe mit zwei kleinen Töchtern, Eleanor und Sadie. Owen und seine Brüder wollten mit den beiden nichts zu tun haben. Wenn die Mädchen zu Besuch kamen, dann hatten sie immer ihre Puppen dabei und spielten mit ihnen Teetrinken. Außerdem gehörte Eleanor, die Älteste, zu den Jungen Wissenschaftlern und glaubte nicht an Superhelden.

Wenn Mrs Foster Margaret besuchte, spielten die Mädchen im vorderen Zimmer, während die Brüder auf der Jagd nach Doom Monkey ums Haus tobten.

Mrs Foster hatte staubiges Haar und müde Augen, und Owen fand sie alles andere als hübsch. Aber er bemerkte, dass Onkel Lorne nicht im gleichen Raum mit ihr sitzen konnte.

In seinem Gesicht zuckte es, er wurde rot, beugte sich in seinem Stuhl vor und rieb ununterbrochen seine Beine, ohne zu merken, was er da tat. Wenn sie ihn ansprach, fuhr er zusammen und sagte plötzlich »Hahh!«, als hätte ihn jemand geohrfeigt. Dann sprang er auf, murmelte irgendwas von »Muss gerade mal … Sie verstehen …« und verschwand im Keller.

Onkel Lorne war im Krieg gewesen und seine Nerven waren immer noch recht angegriffen, obwohl das schon viele Jahre her war. Damals hatte er eine Menge Zeit im Bauch von Schiffen bei den Heizkesseln verbracht. Nach dem Krieg montierte Onkel Lorne Heizkessel statt in Schiffen in Häusern und er roch auch wie ein Heizkessel. So fühlte er sich am wohlsten: ölig und allein.

Eines Abends brachte Mrs Foster ein paar Ingwerkekse vorbei und Onkel Lorne ließ sie auf den Küchenfußboden fallen, so sehr zitterten seine Hände. Dann trat er aus Versehen mit seinen großen Füßen darauf.

Owen wusste, dass er nicht wie Onkel Lorne enden wollte. Also nahm er all seinen Mut zusammen und versuchte sich an Mädchen zu gewöhnen. Er wollte nicht damit warten, bis es zu spät war. Jeden Morgen nach dem Aufwachen sagte er sich: »Heute werde ich mit Sylvia sprechen.«

Er wiederholte es, während er sich anzog. Mit dem Kamm

in der Hand blickte er in den Spiegel und sagte: »Hallo, Sylvia, wie geht's?«

Vor dem Spiegel war das einfach. Wenn er die Straße zur Schule hinunterging, sah er prüfend in den Himmel und übte den Satz: »Schöner Tag heute, nicht?« oder »Ziemlich kalt, was?«

Er hatte etwas über eine Meile Zeit, den Satz, den er für den passendsten hielt, zu üben. Dann kam er ins Dorf und an die Kreuzung, wo Sylvia wohnte.

Eines Tages erreichte Owen gleichzeitig mit Sylvia die Kreuzung. Sie trug eine orangerote Skijacke und rote Stiefel, sodass sie in dem weißen Schnee wie eine Flamme leuchtete. Owen ging neben ihr her. Ihm wurde glühend heiß. Er fing einen Blick von ihr auf und bereitete sich darauf vor zu sagen: »Ich hab gehört, es soll schneien.«

Doch als er seinen Mund öffnete, kamen nur unverständliche Wortbrocken heraus – »chabhört« und dann »s-s-solschn« – und er geriet in Panik. Er spurtete nach vorn und tat so, als hätte er nichts gesagt. Schnell war er etliche Schritte voraus, aber dann wurde die Ampel rot. Owen überlegte kurz, sich in den Verkehr zu stürzen. Aber seine Füße hielten von allein an und er saß in der Falle. Sylvia stand wieder neben ihm. Sie sah ihn nicht an und er sah sie nicht an, und es dauerte Stunden, bis die Ampel auf Grün sprang.

Den ganzen Tag lang klopfte Owens Herz wie wild.

»Warum war ich nur so blöd?«, fragte er sich. »Ist es denn so schwer, einen einfachen Satz zu sagen?« Unmöglich. Er war genauso unfähig wie Onkel Lorne und würde mutterseelenallein in einem Keller enden und Automagazine lesen.

Auf dem Nachhauseweg rannte Owen an Sylvia vorbei in der Hoffnung, dass sie zumindest von seiner Schnelligkeit beeindruckt wäre. Bevor er ins Bett ging, übte er noch lange, und am Morgen war sein Kopf voll mit lauter leichten Dingen, die er ihr sagen konnte.

Aber in den nächsten Tagen verfehlte er sie. Und als er schließlich wieder einmal neben ihr herging, stieß er ein »Wigesnso?« aus. Dann tat er so, als müsste er sich räuspern, und schaute in die andere Richtung.

Owen hätte gern jemanden um Rat gefragt, um zu erfahren, was man in so einer unmöglichen Situation tun könnte. Aber seine Brüder hätten ihn nur ausgelacht und sein Vater ihn nicht verstanden. Es schien, dass Onkel Lorne der Einzige war, der diese absolute Hoffnungslosigkeit ebenfalls kannte.

Und eines Abends fühlte sich Owen unwiderstehlich vom Keller angezogen, wo Lorne sich wie immer verkrochen hatte. Owen stieg vorsichtig die knarrende Treppe hinunter. Onkel Lorne war wie ein scheues Reh im Wald, dem man sich ganz vorsichtig nähern musste.

Er sah auf, sobald Owens Kopf erschien. Er saß nicht etwa auf dem Klappbett und las in seinen Magazinen, sondern kauerte über der alten Werkbank.

»Was willst du?«, fragte er. Mit seinem Körper als Schutzschild entzog er die Werkbank Owens Blick.

»Nichts«, sagte Owen. Er setzte sich auf die Treppe und dachte darüber nach, wie er seine Frage stellen sollte, was es überhaupt für eine Frage war.

Nach einer Weile schien Onkel Lorne vergessen zu haben, dass Owen da war, und machte sich wieder an die Arbeit. Er benutzte ein altes Taschenmesser, um an einem Stück Holz herumzuschnitzen. Owen konnte sich nicht vorstellen, was es werden sollte. Aber er saß wie festgenagelt da und starrte auf Lornes lange, kräftige Finger, die abgenutzte, schwarze, rasierklingenscharfe Schneide, die lockigen Späne, die von dem Holzstück ab- und auf den Fußboden fielen.

Am nächsten Abend kam Owen wieder. Onkel Lorne schien es nichts auszumachen, dass er ihn von der Treppe aus beobachtete.

Im Verlaufe vieler Abende schälte sich etwas Seltsames und Schönes aus dem Holzstück heraus. Es war eine Art Schale mit seltsamen Furchen und kunstvoll geschnitzten Gesichtern, die wie Wasserspeierfratzen über den Rand linsten. Der Boden war abgerundet. Onkel Lorne schnitzte und formte, dann schliff er das Ding mit Sandpapier glatt. Immer wieder ölte und lackierte und polierte er es. Manchmal sprach Lorne dabei mit sich selbst, aber er sagte kaum ein Wort zu Owen. Das Schweigen wurde etwas, das sie miteinander teilten.

Ein paar Tage später kam Mrs Foster zu Besuch. Sie brachte wieder Ingwerkekse mit und ihr Haar sah nicht ganz so staubig aus wie sonst. Kaum hatte sie die Küche betreten, fragte sie Margaret, ob Lorne zu Hause wäre.

Margaret sagte: »Keine Ahnung. Er ist immer so ruhig, dass ich oft nicht weiß, ob er im Haus ist oder nicht.« Sie wandte sich an Owen: »Geh doch bitte mal nachschauen, ob dein Onkel da ist.«

Owen ging die Treppe hinunter. Die Wasserspeierkreation leuchtete in einem schönen Dunkelbraun von der Werkbank her. Owen näherte sich vorsichtig und betrachtete sie voll Ehrfurcht.

»Was willst du?«, fragte eine Stimme hinter ihm und Owen wirbelte herum. Onkel Lorne saß auf dem Klappbett!

»Mrs Foster ist da«, sagte Owen schnell. »Sie will dich sehen!«

»*Was*?« Onkel Lorne kam mit einem solchen Ruck hoch, dass das Bett fast hochkant kippte. Er fuhr sich mit seiner großen, schmutzigen Hand durchs Haar und holte tief Luft, als hätte ihm jemand in den Magen geboxt. »Ich bin nicht da«, sagte er.

Als Owen Mrs Foster diese Nachricht überbrachte, gab sie ein leises »Oh« von sich. Dann unterhielt sie sich mit Margaret über Strickmuster, und die Jungs aßen die Ingwerkekse.

Einige Minuten später tauchte Onkel Lorne plötzlich in der Küche auf und streckte Mrs Foster die Schnitzerei entgegen. Sie schrie auf und hob die Hand, als hätte er sie schlagen wollen.

»Ich dachte, Sie seien nicht da«, sagte sie. »Was ist das?«

Onkel Lorne brachte kein Wort heraus.

»Danke, Lorne.« Mrs Foster fasste sich und nahm ihm das Ding vorsichtig aus der Hand. »Das ist ja ein Aschenbecher.«

»Für Ihre Töchter«, sagte er, viel zu laut.

»Aber sie rauchen nicht!«

An seinen schmerzlich verzogenen Augenbrauen erkannte Owen, dass Onkel Lorne das gar nicht hatte sagen wollen, dass er etwas ganz anderes gemeint hatte. Aber er war so verwirrt, dass er wahrscheinlich glaubte, sich niemals verständlich machen zu können. Also machte er nur »Hahh!«, griff nach dem Aschenbecher und verschwand wieder im Keller.

Am nächsten Morgen fand Owen den Aschenbecher im Müll. Er schmuggelte ihn in seine Schulmappe, denn er konnte den Gedanken nicht ertragen, dass sein Onkel etwas wegwarf, woran er so lange und so hart gearbeitet hatte und das so seltsam und faszinierend war. Außerdem schien es magische Kräfte zu besitzen, so wie Doom Monkeys Hut des Grauens. Je länger Owen das Ding in seiner Schultasche trug, desto selbstsicherer fühlte er sich.

Eines Morgens traf er wieder gleichzeitig mit Sylvia an der Kreuzung zusammen.

»Nicht so eisig heute«, sagte er in ihre Richtung.

Sylvia sagte: »Was?«, und er wiederholte den Satz völlig korrekt. Dann liefen sie zusammen die restlichen Meter zur Schule, ohne noch ein weiteres Wort zu sagen.

Ein paar Tage später, als sie sich wieder an der Kreuzung trafen, brachte er ein »Ziemlich sonnig« heraus, ohne eines der Wörter zu verdrehen. In der nächsten Woche sagte er: »Ganz schön windig heute«, und sie verstand alles.

Sylvia sagte nie etwas, aber er konnte neben ihr bis zum Schultor gehen. Und manchmal warf sie ihm in der Klasse einen Blick zu.

Dann erhielt er die Einladung zu ihrer Geburtstagsparty. Es war eine selbst gemachte Karte aus blauem Karton mit dem Bild eines großen Kuchens darauf, sorgfältig ausgemalt. Drinnen standen Owens Name, das Datum und die Uhrzeit der Party und die Adresse.

Owen steckte die Einladung in seine Schultasche. Ständig schaute er nach, ob sie noch da war. Die Freude darüber erfüllte ihn tagelang. Anstatt sich abends vor dem Schlafengehen strengen Übungen gegen seine Feigheit zu unterziehen, sagte er sich nun immer wieder: »Ich gehe auf Sylvias Party!«

Die Party war am folgenden Samstag, aber Owen erzählte niemandem etwas davon. Als der Samstag da war, behielt er die Uhr im Auge. Er wusste, er musste um zwanzig vor zwei das Haus verlassen, wenn er pünktlich um zwei Uhr bei Sylvia sein wollte.

Um halb zwei sagte seine Mutter zu den Jungs, sie sollten sich anziehen, weil sie mit ihnen in die Stadt fahren wollte, neue Schuhe kaufen.

»Ich brauche keine neuen Schuhe«, sagte Owen, aber seine Mutter sagte, er bräuchte sehr wohl welche.

»Aber ich kann nicht!«, stieß er hervor.

»Warum nicht?«

Owen versuchte sich schnell eine Lüge auszudenken, aber es fiel ihm nichts ein und in kurzer Zeit war die ganze Geschichte heraus.

»Du gehst auf eine Geburtstagsparty von 'nem Mädchen?«, fragte Andy, und ohne auf eine Antwort zu warten, rannten er und Leonard herum und schrien: »Mädchenparty! Mädchenparty! Mädchenparty!«

Margaret sagte: »In diesem Aufzug gehst du jedenfalls nicht!« Owen musste die Treppe hoch, seine alten Sachen ausziehen, sich den Hals und sogar hinter den Ohren waschen. Dann zwang sie ihn, graue Flanellhosen anzuziehen und ein kratziges Hemd mit Kragen, an den er eine alberne Fliege stecken musste. Über das Hemd kam ein blauer Blazer. Dann musste er noch seine glänzenden schwarzen Schuhe anziehen, die ihm viel zu klein waren.

»Mädchenparty! Mädchenparty! Mädchenparty!«, sangen derweil seine Brüder.

»Hast du ein Geschenk?«, fragte Margaret. »Wann fängt es an?«

»Um zwei«, sagte Owen. Die Frage nach dem Geschenk traf ihn wie ein Schlag. Daran hatte er überhaupt nicht gedacht! »Ich habe ein Geschenk«, sagte er, um jede weitere Diskussion darüber im Keim zu ersticken.

Seine Mutter bot ihm an, ihn zu Sylvia zu fahren, aber Owen meinte, er könne sehr gut allein hingehen. Er wollte nicht, dass seine Brüder mitbekamen, wo Sylvia wohnte.

Er zog seine Winterjacke an, die die Schöße seines Blazers nicht ganz verdeckte, und Stiefel über die drückenden Schuhe. Um seine Brüder in die Irre zu führen, ging er zuerst in die falsche Richtung und lief durch den Wald zurück, als er weit genug entfernt war. Er hatte seine Schultasche dabei und unbemerkt etwas Einwickelpapier und Klebeband eingesteckt. Im Wald packte er Onkel Lornes Aschenbecher ein. Dann rannte er die ganze Strecke zu Sylvias Haus und kam nur zehn Minuten zu spät, schwer atmend und schwitzend, mit wunden Füßen in den zu engen Schuhen und aufgescheuerten Beinen von der kratzigen Flanellhose.

Er war der einzige Junge auf der Party! Mit Sylvia waren es sechs Mädchen, alle in rosa Kleidern mit rosa oder weißen Strümpfen und glänzenden Schnallenschuhen. Sylvias Haus war wunderbar neu und sauber, es gab keine Löcher im Dach, und im Keller sah es aus wie im ersten Stock. Es gab Teppiche auf dem Boden und Holzvertäfelung an den Wänden, ein Ledersofa und ein riesiges Puppenhaus, vor dem Sylvia und ihre Freundinnen fast den ganzen Nachmittag verbrachten.

Owen blieb oben in der Küche und half Sylvias Mutter den Kuchen zu glasieren. Hin und wieder ging er hinunter, um nach den Mädchen zu sehen. Das Puppenhaus hatte ein Puppenwohnzimmer und eine Puppenküche und sogar eine Puppentoilette mit Klo und Waschbecken.

Es schien, als ob Owen von einem anderen Stern kam und die Sprache dieser Aliens nicht verstand. Alles was er tun konnte, war, eine Weile zuzuschauen und dann wieder nach oben zu gehen.

Er fühlte sich erst besser, als der Kuchen serviert wurde. Er aß sechs Stück, ein persönlicher Rekord. Dann war es an der Zeit, die Geschenke auszupacken.

Die rosa Mädchen scharten sich um Sylvia, während sie zwei funkelnagelneue Puppen auswickelte, ein Teeservice, ein Set mit Kamm und Bürste und ein geblümtes Buch mit weißen Seiten, in das sie ihre geheimsten Gedanken hineinschreiben konnte. Dann kam Owens Geschenk an die Reihe.

Es war ganz schön schwer, und weil Owen es in aller Eile im Wald eingepackt hatte, fiel es von ganz allein aus dem Papier. Sylvia drehte es hin und her und betrachtete die Wasserspeiergesichter und die kleinen Rillen für die Zigaretten. Einige Mädchen fingen an zu lachen.

Sylvia sah Owen an, zum ersten Mal an diesem Tag, und sagte: »Was soll das bitte sein?«

Owen fühlte sich schlechter als Onkel Lorne in der Küche mit Mrs Foster. Er überlegte, was er sagen sollte, aber nun lachten alle. Das Lachen breitete sich schneller aus als das Feuer im Graben, hässlich und nicht mehr aufzuhalten. Wieso war er auf die Idee gekommen, Sylvia Onkel Lornes Aschenbecher zu schenken?

Owen lief zu ihr, grabschte nach dem Aschenbecher und hielt ihn hoch in die Luft.

»Ich bin Doom Monkey, der Unberechenbare!«, rief er. »Und das ist mein Hut des Grauens!«

Er drückte sich den Aschenbecher auf den Kopf und rannte durchs Haus. Den Mädchen blieb nichts anderes übrig, als ihm hinterherzujagen und zu versuchen in den Besitz der Quelle seiner übernatürlichen Kräfte zu gelangen. Obwohl sie schnelle Läuferinnen waren, behinderten ihre langen Kleider sie, und so gelang es Owen immer wieder, ihnen zu entkommen.

Am Ende der Party waren die Möbel umgestürzt, Kuchen und Eiscreme klebten im Teppich und auf den Wänden, im Haar und auf Owens Flanellhose und tropften von rosa Puffärmeln. Das Puppenhaus war dreimal verwüstet und dreimal wieder aufgebaut, und die Zivilisation der westlichen Hemisphäre war endgültig gerettet worden.

»Vielen Dank für dein wundervolles Geschenk«, sagte Sylvias Mutter an der Tür, als Owen ging. Sylvia nickte unmerklich. Sie hielt den Aschenbecher verkehrt herum und die Wasserspeier hingen mit dem Kopf nach unten.

»Hast du es selbst gemacht?«, fragte Sylvias Mutter.

»Es wurde vor dem Beginn der Zeit in den Bergschluchten erschaffen«, sagte Owen. »Und es wird die Wirbel von einer Million Stürme überleben!«

»Aha, das klingt ja nach etwas ganz Besonderem«, sagte Sylvias Mutter. Sylvia schien den Atem anzuhalten und darauf zu warten, dass er weitersprach.

»Es enthielt das Herz eines Buckligen und wurde von den Kaisern von China und Bolivien benutzt«, fuhr Owen fort. Nun, da er mutig genug war, in Sylvias Gegenwart zu sprechen, konnte er gar nicht mehr damit aufhören.

»Ich bin sicher, sie wird es in Ehren halten«, sagte Sylvias Mutter.

»Solange sie von wahrer Liebe träumt und sich von Serpentinen bei Mondschein fern hält«, sagte er, »wird es ihr außerirdischen Schutz verleihen!«

»Was?«

Das Einzige, was eigentlich noch fehlte, war ein Heiratsantrag, aber Owen hatte keinen Ring. Also machte er einen Schritt zurück und fiel aufs Eis. Er drehte sich nicht um und rannte nach Hause, als wäre der Bucklige aus der Schlucht hinter ihm her, dicht gefolgt vom Kaiser von Bolivien.

Winternächte

Andy hatte ein Detektorradio, das er im Schlafzimmer-schrank der Jungs versteckt hielt und spätnachts he-rausholte. Es war aus Plastik mit einer Menge Skalen vorn und einer Menge Drähte hinten. Wenn er die Antenne ganz herauszog und sie an der Gardinenstange befestigte, konnte er für gewöhnlich Signale empfangen, die von außerirdi-schen Flugobjekten in fremden Galaxien ausgesandt wur-den. Um mit der Erde zu kommunizieren, verwandten sie jaulende, summende Geräusche. Andy saß am Fenster und lauschte in der Hoffnung, das Geheimnis ihres Codes zu knacken.

Manchmal leistete Owen ihm dabei Gesellschaft und fragte sich, was *bssss – whiieee! – iiiooo – sssrbb!* bedeuten könnte, während Leonard allein in dem großen Bett lag und schlief. Die beiden älteren Brüder schauten aus dem Fenster und überlegten, von welchem Stern die Radiosignale wohl kämen und ob möglicherweise eine Invasion auf der Erde bevorstand.

Eines Nachts jedoch veränderten sich die Geräusche aus dem Radio und das weinerliche Summen wurde zu plötzlichen Ausbrüchen von elektrischem Lärm: *Blat! Zappazappa! Kracka-tacka! Glörk!* Andy nahm sich schnell einen Stift vom Schreibtisch, und mit Hilfe einer Gewichts- und Maßtabelle, die er auf der Rückseite seines Mathematikbuches entdeckt hatte, entschlüsselte er die folgende Nachricht: »Berg! Krach! Wach!«

»Was bedeutet das?«, fragte Owen.

»Wir müssen zur Festung«, sagte Andy atemlos. »Sie nehmen Kontakt mit uns auf!«

»Aber warum die Festung?«

»Weil sie auf dem Toten Mann liegt«, sagte Andy. Die Jungs nannten den Hügel so, weil man von dort aus den Friedhof überblicken konnte. Am Wochenende zuvor hatten sie dort eine Festung aus Schnee gebaut.

»Was ist mit Leonard?«, fragte Owen.

»Er wird Angst bekommen«, sagte Andy.

»Vielleicht auch nicht«, sagte Owen. »Denk doch nur, wie er an Halloween mit der Frau vom Moddermann gesprochen hat.«

Also weckten sie Leonard auf und zu dritt schlichen sie die

Treppe hinunter und zogen ihre Schneeanzüge und die schweren Stiefel an. Ihre Eltern und Onkel Lorne schliefen schon, sodass sie sehr leise sein mussten.

Es war bitterkalt, eisige Luft umfing sie, und der Schnee auf dem Weg war so festgebacken, dass er unter ihren Stiefeln quietschte.

Andy trug sein Radio und eine neue Batterie, die ihn fünf Monate Taschengeld gekostet hatte. Er hatte deswegen viele Ausgaben seines Lieblingscomics versäumt, aber nun, da sie mit Außerirdischen in Kontakt treten würden, hatte es sich gelohnt.

Aus der Zeitung und vom Fernsehen wussten die Jungs, wie fliegende Untertassen aussahen. Aber das Bild ihres Fernsehers war oft verschwommen und wanderte. In den meisten Zeitungsartikeln stand, dass die Raumschiffe helle Lichter hätten und die Außerirdischen Laserpistolen benutzten und silbrige Raumanzüge trügen.

»Was ist, wenn sie uns nicht mögen?«, fragte Leonard auf halbem Weg zum Toten Mann. »Wenn sie vorhaben, die Erde zu erobern, wollen sie bestimmt nicht unsere Freunde sein.«

»Außerirdische sind übernatürliche Wesen«, sagte Andy. »Es ist keine Frage von Mögen oder Nichtmögen. Sie wollen nur ein paar typische Erdlinge kennen lernen. Es ist besser, wenn sie auf uns treffen als auf Generäle oder so.«

Sie hatten im Kino einen Film gesehen, in dem die Außerirdischen, die auf die Erde kamen, sehr nett gewesen waren, aber irgendwelche Generäle hatten sie mit Wasserstoffbomben beworfen, was sie furchtbar ärgerlich gemacht hatte.

Die Spitze des Toten Mannes war perfekt, um eine Schneefestung darauf zu bauen, denn der Wind trieb riesige Schneemassen direkt auf die Felsen. Die Jungs hatten nur in die Außenseite des dicksten Haufens ein Loch graben müssen, und in kurzer Zeit hatte die kalte Luft das Innere der Höhle vereist, sodass die Wände fest waren. Es war gemütlich dadrin, vor dem Wind geschützt kuschelten sich die drei aneinander. Andy hatte eine Kerze mitgebracht, damit sie Licht hatten, aber die Flamme gab auch Wärme ab. Dies war ihr ganz eigener Platz, den sie zusammen geschaffen hatten.

Andy verband das Radio mit der neuen Batterie und fummelte am Drehknopf herum. Sofort erwachte das Gerät mit Jaulen und Summen zum Leben, es knisterte und rülpste. Dann ertönte dies: »Sie hören Alan Winter mit einer neuen Ausgabe von *Winter Nights*, drei Stunden werbefreies Radio.«

Die Stimme war tief, wohltönend und klar. Es war das erste Erdlingsprogramm, das die Jungs in Andys Radio empfingen.

»Bevor ich die Telefonleitungen für Sie freischalte, ein paar Gedanken zu dieser Nacht«, sagte die Stimme. »Nächte wie diese erinnern mich an einen Winter vor langer Zeit, als es nach Schnee und Kälte einen Tag lang Regen gab und es dann noch kälter wurde. Arktische Luftmassen hüllten uns ein wie eine Blase. Und das ganze Wasser auf dem Schnee fror zu einer riesigen Eisbahn. Die Autofahrer drehten sich, rutschten und landeten im Graben, die Fußgänger schlingerten. Aber auf Schlittschuhen war es, als ob wir Flügel hätten. Von unserem Garten aus sausten wir durch den Park und auf den Fluss, es war ein einziges, nicht enden wollendes Eislaufwunder.«

Die sanfte, volle Stimme gelangte glasklar in die Schneefestung, in der die Jungs warm und träumend zusammenhockten.

»Ich erinnere mich gut an eine besondere Nacht in jenem Winter«, sagte die Stimme, »der Mond schien genau wie heute, ich hatte meinen Mantel geöffnet wie ein Segel und wurde auf meinen Schlittschuhen über die Felder geweht. Der Himmel war nicht ganz schwarz, eher von einem dunklen Purpur. Und meine Schlittschuhe sausten schneller und schneller. Die Bäume waren eingehüllt in schimmerndes Eis, die Büsche glitzerten und leuchteten im Dunkel. Manchmal denke ich an diese Nacht, in der ich auf Schlittschuhen über die Felder segelte, auf den Bergrücken entlangglitt und die Hügel hinabsauste. Wir erleben in unserem Leben nicht viele solcher Nächte. Wenn die Luft so still und klar ist, meint man der Ewigkeit ins Antlitz zu schauen. Mein Name ist Alan Winter und Sie hören die *Winter Nights*. Ich warte auf Ihre Anrufe.«

Dann ertönte etwas Musik und anschließend rief irgendjemand an und sprach von seinem Problem mit Haarausfall. Der Empfang wurde schwächer. Es war schon sehr spät und es gab keine Außerirdischen, also beschlossen die Jungs nach Hause zu gehen.

Am Abhang des Toten Mannes testeten sie den Schnee. Obwohl er nicht so gefroren war, wie Alan Winter es beschrieben hatte, war er von einer glänzenden Kruste überzogen, die ihren Rücken genug Halt bot. Wenn sie sich mit den Hacken in den Schnee stemmten und abstießen, konnten sie den Hang hinunterflutschen wie Fische, die im See schwammen. Über ihnen war der Himmel klar und die Sterne klumpten sich billionenfach zusammen, es sah aus wie die Lichter einer Großstadt in weiter Ferne. Sogar Leonard, der müde und grantig war, fand es wunderbar, auf dem Rücken über den gefrorenen Schnee zu schwimmen und in die Ewigkeit zu schauen.

Doch plötzlich verschwand die Ewigkeit und Onkel Lornes Gesicht tauchte auf. Er kam in seinen riesigen Stiefeln den Hang hochgestapft, sein Jackett um sich gewickelt, mit wehendem Schal. Der Atem stieg in Dampfwölkchen aus seinem Mund.

»Was macht ihr hier, Kinder?«, fragte er, wie ein Turm über ihnen stehend. Er sagte, dass er und Margaret und Horace seit Stunden nach ihnen suchten. Sie hatten keine Ahnung gehabt, wohin die Jungs verschwunden waren. »Was in Gottes Namen macht ihr hier?«, fragte er noch einmal.

Owen schaute zu ihm hoch und konnte nicht antworten, weil er es selbst nicht so genau wusste. Es hatte als etwas Bestimmtes begonnen, wurde dann etwas anderes und wieder etwas anderes, und es schien ein Ding der Unmöglichkeit, das einem Erwachsenen so zu erklären, dass er es auch verstand. Für einen Moment überlegte Owen, ob er Onkel Lorne den Trick mit dem Rückenschwimmen auf dem Schnee zeigen sollte, aber Onkel Lorne war so groß und schwer, er wäre vermutlich im Schnee versunken. Außerdem schien dies angesichts Onkel Lornes Frage, seiner bedrohlichen Erscheinung und den wild rollenden Augen ein törichter Gedanke.

Auf dem Schnee schwimmen? Noch vor wenigen Minuten, als sie auf dem Rücken gelegen und ins Universum geblickt hatten, war ihnen warm gewesen. Aber nun fühlten sie sich, als hätte sie jemand nackt in einen Gefrierschrank gesperrt.

Auf dem Weg nach Hause kroch die Kälte in ihre Schneeanzüge und sog alle Wärme aus ihnen heraus, als hätte man in der Badewanne den Stöpsel gezogen.

Leonard begann zu weinen und hörte auch nicht auf, als Onkel Lorne ihn hochhob und in sein Jackett einhüllte. Owen begann zu zittern und sogar Andy stolperte über Eisstücke und Unebenheiten im Weg, so erschöpft war er.

Am Fuße des Hügels machten sie eine kleine Pause, aber ein eiskalter Wind war aufgekommen, und je länger sie warteten, desto kälter wurde es. Selbst Onkel Lorne fror. Er war ohne Hut und Handschuhe aus dem Haus gestürzt.

Schließlich sagte er: »Marschiert mit mir mit. Das hab ich im Krieg gelernt.« Und er sang ein kleines Lied für sie:

»*Mal bist du ganz oben, mal unten im Loch,*
Egal, was du tust, sie kriegen dich doch!
Hey nonny, hey nonny,
Hey nonny, hey!

Das ist das Lied, das mich durch den Krieg gerettet hat«, sagte Onkel Lorne. »Ich habe es noch nie jemandem vorgesungen. Das ist jetzt euer Nachhausegehlied, einverstanden?«

Onkel Lorne sang es noch einmal. Zu Beginn war seine Stimme leise und schwach, als ob er es nur für sich selbst sänge, aber beim Gehen wurde sie stärker. Und als die Jungs mitsangen, half es ihnen beim Laufen, und bald tauchte die Farm vor ihnen auf.

Als sie das Haus betraten, war es leer. Onkel Lorne ließ ihnen ein heißes Bad ein, dann steckte er sie ins Bett und ging wieder hinaus, um Horace und Margaret zu suchen.

Als ihre Eltern von der Suche heimkehrten, schliefen die Jungs bereits. Margaret stürzte in ihr Schlafzimmer, weckte sie auf und drückte sie halb tot.

Und obwohl Owen sehr müde war, hörte er doch von weit her Horaces Flüche, die meisten jedenfalls.

Am nächsten Morgen sprach Horace eine Stunde auf sie ein. Während er redete, ging er auf und ab, und die Jungs mussten ganz still und gerade stehen, um ja kein Wort zu verpassen. Sie durften keinen Lärm machen oder dazwischenfragen. Die meiste Zeit sprach Horace davon, wie aufgeregt ihre Mutter gewesen sei und was sie Furchtbares erwarten würde, sollten sie noch einmal im Leben so etwas Dummes und Törichtes und Rücksichtsloses tun. Nach einer Weile fiel ihm nichts Neues mehr ein, also griff er zu Wiederholungen: »Wenn ihr noch einmal … – Was, verdammt noch mal … – Gott weiß, dass ich mein Bestes versucht habe … zum Teufel mit all dem Eis und Schnee, ich erlaube euch nie mehr …«

Margaret blieb lange im Bett, wie jedes Mal, wenn sie

schlimme Kopfschmerzen hatte. Als sie aus dem Zimmer kam und ihre Jungs sah, brach sie weinend zusammen. Es schien, als wäre das Ende der Welt gekommen, und Owen war froh, dass er seinen Eltern nicht erzählt hatte, dass sie an Halloween im Spukhaus gewesen waren und die Frau des Moddermannes getroffen hatten. Margaret dankte Onkel Lorne wieder und wieder dafür, dass er die drei sicher zurückgebracht hatte. Und schließlich mussten die Jungs ihn auf die raue Wange küssen und ihm ebenfalls danken. Onkel Lorne wurde verlegen und sagte, es sei nicht der Rede wert und sie sollten keinen Gedanken mehr daran verschwenden.

Dann machte Onkel Lorne das Radio an und sie hörten Nachrichten. In der vergangenen Nacht war über den Feldern außerhalb der Stadt eine fliegende Untertasse gesichtet worden, und der Farmer Eliot Brinks hatte um ein Uhr morgens, als er schlafwandelte, unheimliche Lichter am Himmel gesehen, und nun fehlte eine Kuh!

Andy und Leonard platzten fast bei dieser Nachricht, aber Owen schaffte es, sie ruhig zu halten, und so erfuhr niemand außer ihnen, wie knapp sie einer Katastrophe entkommen waren.

Die Eisenbahnbrücke

W as haben die Aliens mit Eliot Brinks' Kuh vor?«, fragte Owen. Es war schon spät, aber er musste die ganze Zeit an die Invasion aus dem Weltall denken. Er war mit Doom Monkeys Hut des Grauens ins Bett gegangen für den Fall, dass er außergewöhnliche Kräfte benötigte.

»Vielleicht wollten sie etwas Milch?«, sagte Leonard.

»Vielleicht haben sie sich auch nur geirrt«, sagte Andy. »Sie haben nach einem Erdling gesucht und sind stattdessen mit einer Kuh zurückgekommen.«

»Kühe sind auch Erdlinge«, sagte Leonard, und sie unterhielten sich eine Weile darüber, ob sich ein Erdling allein dadurch auszeichnete, dass er auf der Erde lebte. Und wenn ja, waren Vögel dann auch Erdlinge, obwohl sie doch so viel Zeit in der Luft verbrachten? Und was war mit Fischen?

»Vielleicht haben die Außerirdischen ja einen Vogel und einen Fisch und eine Kuh und einen Menschen gefangen«, sagte Andy. »Vielleicht richten sie auf ihrem Heimatplaneten einen Zoo ein.«

Die Jungs überlegten, wie es wohl wäre, wenn man in einem Erdlingszoo auf einem fremden Planeten leben müsste.

»Und wenn sie einen in einen Löwenkäfig stecken?«, fragte Leonard.

»Oder sie stecken dich zusammen mit einem Erdlingsmädchen in den Käfig«, sagte Andy. »Und dann warten sie ab, ob du sie küsst.«

Leonard sagte, er würde sie niemals küssen, und Andy fragte ihn, was er tun würde, wenn man ihm so lange nichts zu essen gäbe, bis er es täte. »Dann musst du nachgeben. Man kann nicht ohne Essen leben!«

Owen dachte, dass es schon in Ordnung wäre, in einem Erdlingszoo auf einem fremden Planeten zu leben, wenn Sylvia dabei wäre. Es würde ihm auch nichts ausmachen, wenn die Außerirdischen sie beobachteten. Vielleicht würden sie nach einer Weile wie Bäume aussehen oder wie irgendetwas anderes im Hintergrund.

»Ich möchte wissen, was sie einem zu essen geben«, überlegte Owen.

Leonard meinte, es sei wahrscheinlich Eiscreme, denn die meisten fremden Planeten seien sehr kalt.

»Woher weißt du, dass sie kalt sind?«, fragte Andy.

»Das hat uns Mrs Ogilvie erzählt«, sagte Leonard. Er war in der ersten Klasse und fing an, seltsame Sachen zu wissen. Er kannte die Mondphasen und wusste, warum Holland so oft unter Wasser stand.

»Warum sollten die Außerirdischen ihre Zeit auf kalten Planeten verbringen, wenn sie genauso gut auf warmen leben könnten?«, fragte Owen.

»Mrs Ogilvie hat gesagt, dass der größte Teil des Universums aus Gas besteht, das sich ausbreitet«, sagte Leonard. »Und die Dinosaurier sind ausgestorben, weil sie sich nicht akli… ako… adoptieren konnten.«

»Adoptieren? Kinder adoptieren?«, fragte Andy.

Leonard zögerte einen Moment, dann sagte er ja.

»Natürlich konnten sie keine Kinder adoptieren!«, rief Andy. »Es waren Dinosaurier!«

»Und deswegen sind sie ausgestorben«, sagte Leonard. »Das hat Mrs Ogilvie gesagt!«

Horace rief von unten, dass sie endlich schlafen sollten, aber Andy schlug vor, dass sie zu Eliot Brinks' Stall gehen sollten, um zu sehen, wo die Kuh gestohlen worden war. Möglicherweise konnten sie ja noch Spuren von den Außerirdischen entdecken.

Leonard sagte, er fände, man sollte die Außerirdischen besser in Ruhe lassen.

»In Ordnung«, sagte Andy. »Du kannst ja hier bleiben und die Außerirdischen in Ruhe lassen. Wir suchen weiter, und wenn wir was herausfinden, werden wir dich auch nicht mit Einzelheiten belästigen.«

»Aber heute Nacht gehe ich nicht«, sagte Owen, und die anderen stimmten zu, dass es vielleicht besser wäre, bis Samstagnachmittag zu warten, damit Onkel Lorne sie nicht wieder retten musste.

Am Samstag machten sich die Jungs also auf den Weg zu Mr Brinks' Stall. Leonard kam auch mit, weil er nicht allein zu Hause bleiben wollte. Es hatte keine weiteren Nachrichten von fliegenden Untertassen gegeben. Aber Andy hatte ein paar seltsame Signale aus seinem Detektorradio empfangen: ein Surren, ein Rattern und merkwürdige *glopp-glopp*-Geräusche, die er selbst mit Hilfe der Gewichts- und Maßtabelle nicht dechiffrieren konnte.

Brinks' Farm lag auf der anderen Seite des Toten Mannes. Sie mussten über den Fluss und ein paar Felder. Andy hatte ausgerechnet, dass die Außerirdischen zu der angegebenen Zeit genau über den Toten Mann geflogen sein mussten, die Jungs aber nicht entdeckt hatten, weil sie in der Schneefestung verborgen waren.

»Was glaubst du, wie die Außerirdischen aussehen?«, fragte

Owen. Andy hatte sich ein Buch aus der Bücherei geborgt, in dem viele Zeichnungen von Außerirdischen waren, die man nach den Berichten von Augenzeugen angefertigt hatte. Meistens sahen sie aus wie aufrechte Echsen mit großen, wabbeligen, leuchtenden Köpfen und Augen groß wie Untertassen, drei langen Fingern und verkümmerten Beinen. Sie waren grün oder silbern und hatten kleine Münder und keine Augenbrauen.

»Wahrscheinlich sehen sie wie Alufolie aus«, sagte Leonard. »Und sie haben zwei Köpfe.«

»Alufolie!«, rief Andy. »Warum sollten sie wie Alufolie aussehen?«

»Na ja«, sagte Leonard. »Sie müssen ja leicht sein, um durchs Weltall zu fliegen. Und wenn sie wie Alufolie sind, dann können sie ganz leicht ihre Form verändern. Wenn sie irgendwo hinfliegen wollen, können sie ein Flugzeug sein, oder ein Pferd, wenn sie laufen wollen, oder sie können sich ganz dünn machen, wenn sie unter einer Tür durchschlüpfen müssen. Und zwei Köpfe haben sie«, fügte Leonard hinzu, »weil sie ihre Cousinen heiraten.«

Andy sagte: »Was hat man denn davon, ein Außerirdischer zu sein, wenn man wie Alufolie aussieht und seine Cousine heiraten muss? Also wirklich!« Dann lachte er Leonard aus, der mit gesenktem Kopf gegen den Wind lief.

»Warum kann ein Außerirdischer nicht wie Alufolie ausse-hen, bloß weil die in dem Buch nicht daran gedacht haben?«, murmelte er.

Bei dem kalten Wetter war der Fluss zugefroren, aber das Eis war unter dem Schnee nicht zu erkennen. Als Leonard vom Ufer auf den Fluss trat, versank er bis zum Hals im Schnee. Andy und Owen zogen ihn heraus, und Leonard wei-gerte sich, den Fluss zu überqueren, weil er Angst hatte, ein-zubrechen.

»Mom und Dad haben uns verboten, allein über den Fluss zu gehen«, sagte er, verschränkte die Arme und ließ sich in den Schnee fallen.

»Gut, dann bleibst du eben hier«, sagte Andy. »Du kannst uns ja Bescheid sagen, wenn du siehst, dass irgendwo außer-irdische Alufolie herumfliegt.«

Owen sagte nervös: »Vielleicht sollten wir wirklich nicht rübergehen.«

»Ach, komm!«, sagte Andy. »Der Fluss ist seit Monaten zu-gefroren! Nicht mal das Empire State Building würde durch dieses Eis fallen!«

Owen überlegte, dass das Empire State Building, selbst wenn es durchs Eis brechen würde, immerhin hoch genug wäre, um noch eine Meile in die Luft zu ragen. Aber kleine Kinder wie sie würden einfach versinken und ertrinken.

»Sie haben es uns verboten«, sagte Owen. »Und sie waren ganz schön wütend neulich.«

»Also bitte!«, sagte Andy. »Dann bleibt ihr eben beide hier stehen und guckt nach fliegender Alufolie!« Er wandte sich ab und begann über den zugefrorenen Fluss zu gehen. Er war der Älteste und der Größte, aber selbst er hatte es nicht leicht in all dem Schnee.

Er kämpfte sich durch bis in die Mitte des Flusses, dann drehte er sich um und blickte zurück zu seinen Brüdern, die am Ufer standen und ihm zusahen.

»Es ist alles in Ordnung!«, rief Andy ihnen zu. »Ihr könnt …«

Aber bevor er den Satz beendet hatte, gab der Fluss ein Geräusch von sich wie eine Kanone, die abgefeuert wurde. *Krack!*

Andy zögerte keine Sekunde. Er lief zurück zum Ufer, schneller, als wenn ein Raketenschiff hinter ihm her gewesen wäre.

»Was war das?«, stieß er hervor, als er in Sicherheit war. Sie schauten auf den Fluss und lauschten. Und nach einer Weile konnte Owen hören, was er vorher nicht gehört hatte. Er hörte die Größe des Eises unter dem Schnee und wie es gegen sich selbst ankämpfte, sodass es vor Anstrengung leise knarrte und stöhnte. Dazwischen gab es lange Pausen, und immer wieder, nachdem es schien, als hätte der Fluss eine Ewigkeit lang den Atem angehalten, ertönte dasselbe *Krack!* wie zuvor.

»Es ist nicht sicher«, sagte Owen und Andy schwieg.

»Ich glaube, wir müssen die Brücke nehmen«, sagte er dann. Er sah zur Eisenbahnbrücke hinüber, die den Fluss eine Viertelmeile weiter flussabwärts überquerte.

Andy ging los und die anderen folgten ihm. Auf dieser Seite gab es keinen Uferweg, also mussten sie sich einen eigenen Pfad durch den tiefen Schnee trampeln. Oft fielen sie hin dabei. Owen hasste es, wenn ihm der geschmolzene Schnee den Nacken hinunterkroch oder sich seinen Weg zwischen Stiefelschaft und Schneehose bahnte.

Als sie bei der Brücke ankamen, mussten sie zuerst über einen hohen Maschendrahtzaun klettern, dann einen steilen, schneebedeckten Abhang hochkraxeln, um auf die Brücke und zu den Gleisen zu kommen.

Von hier aus schauten sie zum anderen Ende der Brücke.

»Es gibt keinen Gehweg«, sagte Leonard.

»Natürlich gibt es keinen Gehweg!« Andy lachte. »Das ist eine Eisenbahnbrücke.«

»Aber ein Geländer gibt es auch nicht«, sagte Owen. Die Brücke war flach, gerade einmal zwei Schienenstränge, die auf darunter liegenden Eisenträgern befestigt waren.

»Warum sollten sie ein Geländer anbringen?«, fragte Andy. »Wenn ein Zug aus den Gleisen springt, dann glaubst du doch nicht im Ernst, dass ihn ein Geländer vom Runterstürzen abhalten könnte?«

Leonard erkannte sofort das Problem. »Wir dürfen nicht über diese Brücke gehen!«, sagte er. »Es ist überhaupt keine Brücke für Menschen!«

»Ist doch nicht weit«, sagte Andy leise und betrachtete den Schnee auf seinen Stiefeln. »Es dauert nur ein paar Minuten. Außerdem gibt es keinen anderen Weg hinüber, wenn wir nicht noch eine Meile am Fluss bis zur Straße laufen wollen.«

»Und was machen wir, wenn ein Zug kommt?«, fragte Owen und sah ängstlich an den Gleisen entlang.

»Entweder beeilen wir uns und laufen rüber, oder wir machen kehrt und gehen zurück«, sagte Andy. »Ganz einfach.«

»Aber wenn wir mitten auf der Brücke von einem Zug erwischt werden …«, begann Leonard und seine Unterlippe zitterte.

»Wir werden nur erwischt, wenn wir in Panik geraten«, sagte Andy. »Und? Sind wir im Spukhaus in Panik geraten? Nein. Wir waren etwas beunruhigt, aber wir sind da gut rausgekommen. Außerdem, sieht einer von euch einen Zug?«

Sie schauten die Gleise hoch und runter. Weder aus der einen noch aus der anderen Richtung kam ein Zug.

»Mein Fuß könnte eingeklemmt werden«, sagte Leonard. »Genau auf der Mitte. Und dann kommt der Zug und ich krieg meinen Fuß nicht raus.«

Andy sagte: »Dann lässt du einfach deinen Stiefel in der Schiene stecken und läufst auf Socken auf die sichere Seite.«

»Ich will aber meinen Stiefel nicht verlieren«, sagte Leonard.

»Es wird ja auch nicht passieren«, sagte Andy. »Es dauert zwei Minuten rüberzugehen, und dann ist es vorbei.«

»Vielleicht sollten wir noch mal drüber nachdenken«, meinte Owen.

»Auf dem Rückweg müssen wir wieder rüber«, sagte Leonard. »Guck doch mal, wie windig es ist.«

Das stimmte. Der Wind heulte über dem Fluss und trug den Schnee von der Oberfläche in langsamen Wellen ab.

Andy sagte: »Nur zwei Minuten! Du musst über die Brücke gehen, Leonard!«

Normalerweise schaffte es Andy immer, seinen jüngsten Bruder zu überreden, aber Owen begriff, dass etwas mit Leonard geschehen war. Er hatte sich an Halloween tapfer gegen den Geist im Spukhaus behauptet. Er würde nicht mehr alles tun, was Andy ihm befahl.

»Du bist ja auch nicht übers Eis gegangen«, sagte Leonard.

»Ich hab's versucht, und das allein zählt.«

»Was zählt, ist, ob ich über diese Brücke gehen will, um von Aliens gefangen und in einen Erdlingszoo gesteckt zu werden. Vielleicht will ich es nicht!«

In diesem Moment sah Owen den Zug. Irgendwie musste er sich herangeschlichen haben, während sie stritten, und nun schoss er auf sie zu, schneller, als sie denken konnten! Die drei Jungs stolperten die Böschung runter und pressten sich an den Maschendrahtzaun. Sie hielten sich die Ohren zu, während der Zug mit lautem Brüllen an ihnen vorbeiraste. Owen blickte hoch und sah, wie der Lokführer sich aus dem Fenster lehnte und ihnen etwas zuschrie. Er sah wütender aus als Mr Schneider, wenn er einen schlechten Tag hatte. Es war der längste Zug, den Owen je gesehen hatte, und es dauerte eine Ewigkeit, bis er vorbei war.

Als alles wieder ruhig war, sagte Andy: »Ich glaube, wir sollten zur Straße laufen und den Fluss dort überqueren.«

Es dauerte furchtbar lange. Den ganzen Weg über dachte Owen, was wohl passiert wäre, wenn sie nicht auf Leonard gehört hätten. Sie wären in der Mitte der Brücke gewesen und dann hätte der Zug sie überrollt. Er war viel zu groß und zu schnell gewesen, um noch rechtzeitig anhalten zu können. Sie hätten sich mit den Fingern an den Schwellen festklammern und an der Seite der Brücke hängen müssen, während der schnellste Zug der Welt über sie hinwegraste. Das hätten sie niemals ausgehalten. Sie wären gefallen – zuerst Leonard, dann Owen, dann Andy.

Vielleicht wäre der Schnee auf dem Fluss tief genug gewesen, um ihren Fall zu dämpfen, aber vielleicht wären sie auch direkt durchs Eis gestürzt, mitten hinein in das eiskalte Wasser. Das wär's dann gewesen – das Ende von allem. Leonard hatte nichts weniger getan, als ihnen das Leben zu retten!

Die Brücke an der Straße war viel weiter weg, als es aussah, und als es anfing zu dämmern, nahm der Wind noch zu. Der Schnee schien tiefer und tiefer zu werden. Die drei Jungs hatten weder etwas zu essen noch zu trinken dabei, nichts, um sich aufzuwärmen.

Aber Andy hatte sich nun mal in den Kopf gesetzt, dass sie über den Fluss mussten, um zu Brinks' Stall zu kommen, und lief immer weiter, obwohl sie alle müde und hungrig waren und froren.

Auf der Straßenbrücke gab es einen Fußgängersteig, aber als sie auf der anderen Seite waren, wussten sie nicht mehr, wie man zu Brinks' Farm gelangte. Sie konnten parallel zu ihrer Strecke auf dieser Seite des Flusses durch den Wald gehen oder weiter geradeaus, bis sie an einen Abzweig kämen. Der Schnee am diesseitigen Ufer war jedoch so tief, dass sie es für das Beste hielten, einen Abzweig zu suchen.

Auf dem Weg dorthin stimmte Leonard Onkel Lornes Lied aus dem Krieg an.

»Mal bist du ganz oben, mal unten im Loch,
Egal, was du tust, sie kriegen dich doch!
Hey nonny, hey nonny,
Hey nonny, hey!«

Andy fügte eine neue Strophe hinzu:

»Im Raumschiff gefangen sind wir nicht froh,
Aliens mit zwei Köpfen und Alufolie am Po!
Hey nonny, hey nonny,
Hey nonny, hey!«

Und Owen sang:

»Wir steh'n auf der Brücke, da saust vorbei der Zug,
Fast wär'n wir durchs Eis gefallen, Wasser ist im Krug!
Hey nonny, hey nonny,
Hey nonny, hey!«

Es war ein so mächtiges Lied, dass es die Jungs stundenlang weitergehen ließ. Es war bereits stockfinster, als sie sich eingestehen mussten, dass sie erschöpft, verhungert, nahezu erfroren waren und sich komplett verlaufen hatten. Leonard sah aus, als könnte er sich kaum noch aufrecht halten, so müde war er. Die Tränen froren an seiner Backe und den Augenlidern fest. Er war viel zu klein, um an einem solchen Tag durch Wald und Feld zu ziehen. Sie waren alle noch zu klein dazu.

Schließlich erreichten sie eine Farm. Leonard sagte: »Lasst uns hier fragen!«

Andy erwiderte mit müder und kalter kleiner Stimme: »In Ordnung, wenn du meinst.«

Leonard klopfte an die Tür. Es brannte Licht im Haus, aber er klopfte so leise, dass sich nichts rührte.

»Doller!«, sagte Owen.

Leonard klopfte wieder. Diesmal fing ein großer Hund an zu knurren und zu bellen und Leonard lief die Stufen wieder runter. Die Tür öffnete sich und der Hund schoss heraus und leckte Leonards Gesicht so heftig, dass er umfiel.

»Rex! Platz, Junge! Platz!«, ertönte die Stimme eines kleinen Mädchens.

Die Jungs staunten. Es war Sadie, eine der Töchter der Witwe Foster.

Rex war so groß wie Andy und Owen zusammen, aber das kleine Mädchen legte ihn an die Kette, als ob er ein Kuschelhäschen wäre. Dann ließ sie die Jungs ins Haus und die staunten noch einmal.

Denn im Innern des warmen Hauses saß jemand und spielte mit Eleanor und Mrs Foster Cribbage. Und dieser Jemand war Onkel Lorne, und er sah dabei so entspannt und unbeschwert aus, als ob er Teil der Familie wäre.

Kalte Füße

$\mathcal{E}$leanor war Mrs Fosters älteste Tochter. Sie hatte wilde blonde Locken, die ihr jedes Mal, wenn sie sich vornüberbeugte, in die Augen fielen, und lange knochige Glieder. Sadie war die jüngste, sie hatte glattes, rötliches Haar, ausdrucksvolle blaue Augen und kleine Hände. Sie war ruhiger als ihre Schwester und sie verliebte sich in Owen, als die Jungs an diesem Abend halb erfroren und verirrt in Mrs Fosters Farmhaus auftauchten. Sie machte heiße Schokolade für ihn und brachte ihm warme Socken aus ihrer Schublade. Am Kamin hockte sie sich ganz dicht neben ihn und half ihm, Marshmallows zu rösten. Wenn sie ihn ansah, bekamen ihre Augen einen träumerischen Schimmer, dann fing Owens Hals an zu brennen und sein Haar sträubte sich.

An diesem Abend fuhr Onkel Lorne die Jungs nach Hause. Ihre Eltern waren fürchterlich aufgeregt, weil sie so lange weggeblieben waren und sich so weit weg von zu Hause herumgetrieben hatten. Dabei wussten sie noch nicht einmal was von den Beinah-Katastrophen auf dem Eis und der Eisenbahnbrücke.

Margaret stand in der dampfenden Küche, denn die Suppe kochte bereits seit Stunden, und sagte, dass sie niemals wieder allein das Haus verlassen dürften.

Horace sagte, er würde ihnen eine Tracht Prügel verabreichen, die sie so schnell nicht vergessen würden, und zog das krumme Lineal heraus, das er in solchen Fällen zu benutzen pflegte.

»Ich habe dieses Lineal in der dritten Klasse gestohlen«, sagte Horace. Er klatschte es an seinen Schenkel und alle drei Jungs sprangen auf. Margaret stand am Küchenbüfett und sah nicht so aus, als ob sie ihren Söhnen zu Hilfe kommen würde.

Horace hielt das Lineal hoch, damit alle es sehen konnten. »Was für eine Form hat es, Owen?«, fragte er.

»Es ist kr-kr-krumm«, sagte Owen.

»Und woran erinnert mich das?«

Owens Lippen zitterten heftig. Aber er brachte es fertig zu sagen: »An deine eigenen Fehler! Und daran, dass du hart bleiben musst! Und dass es dich mehr schmerzt als uns, wenn du uns schlagen musst, aber wer die Pute spart, verdirbt das Kind!«

»Rute«, sagte Andy.

»Verdirbt die Rute!«, schrie Owen.

»Die Rute spart!«, sagte Andy.

»Spart das Kind, verdirbt die Rute!«, platzte Owen heraus.

»Ruhe!«, dröhnte Horace. Dann schlug er sich wieder mit dem Lineal auf den Schenkel.

Es machte laut *Knacks!* und die Hälfte des Lineals flog über die Köpfe der Jungs in den Suppentopf hinter ihnen.

Owen konnte nicht anders. Er drehte sich um, schaute zum Suppentopf und begann zu lachen.

»Schsch!«, machte Horace. »Das ist nicht lustig.«

Margaret ging zum Herd, fischte das abgebrochene Teil aus dem Topf und sagte: »Verdirbt die Rute!«

Jetzt lachten alle. Owen spürte ein Kribbeln unter der Haut. Er fühlte sich wie im Innern eines Wasserballons und konnte sich nicht länger aufrecht halten. Er brach auf dem kalten Küchenfußboden zusammen und zuckte und gurgelte vor Lachen und strampelte mit den Füßen. Nun war es Owen, der einen komischen Anblick bot, und selbst Horace begann zu schniefen und zu winseln und lehnte sich erschöpft an die Wand.

Genau in diesem Augenblick trat Onkel Lorne in die Küche und sagte: »Ach, übrigens, Lorraine und ich werden heiraten.«

»Wer ist Lorraine?«, stieß Owen hervor, und alle brüllten

vor Lachen. Es dauerte etliche Minuten, bevor jemand sprechen konnte.

»Das ist … das ist … Mrs Foster«, brachte Onkel Lorne schließlich heraus, und alle lachten noch mehr.

Aber es stimmte. Irgendwie hatte Onkel Lorne doch noch den Mut gefunden sie zu fragen, und Mrs Foster – Lorraine – hatte ja gesagt. Nicht nur, dass sofort alles besser wurde, die gute Nachricht blies wie ein warmer Wind durchs Haus und verjagte den Winter vor der Zeit.

Eines jedoch war alles andere als gut: Je näher der Hochzeitstag im Juni rückte, desto öfter kamen Eleanor und Sadie mit ihrer Mutter zu Besuch. Margaret nähte Lorraines Hochzeitskleid und das schien eine Ewigkeit zu dauern. Die beiden Frauen verbrachten Stunden in Margarets Nähzimmer. Sadie schmalzte um Owen herum, bis es nicht mehr auszuhalten war, vor allem als Andy und Leonard herumrannten und kreischten: »Owen und Sadie heiraten!«

Eines Tages ertrug Owen es nicht länger. Er lief hinaus in den Hof, wo er einen Apfelbaum bestieg und ganz allein in Kriegsmission über den Ärmelkanal flog. Aber nicht einmal dort war er sicher. Nach nur einer Minute stand seine Mutter unter dem Baum und sagte, er müsse runterkommen und mit Eleanor und Sadie spielen.

»Warum?«, fragte er.

»Weil sie eure Gäste sind«, sagte Margaret.

Owen wollte sagen, dass er sie nicht eingeladen hatte. Er wollte sagen, dass er sich in Sadies Gegenwart fühlte, als hätte man ihn bis zum Hals in Sand eingegraben und ihm Feuerameisen in die Hose gesteckt. Er wollte sagen, dass er nicht in Sadie verliebt sein konnte, weil er ja schon in Sylvia verliebt war, und das allein war schon schlimm genug.

Er wollte all das sagen, aber er konnte es nicht. Stattdessen stieg er vom Baum und ging ins Haus, wo die Mädchen im Wohnzimmer Notaufnahme spielten.

»Du siehst etwas verhärmt aus«, sagte Eleanor zu ihm.

Owen wusste nicht, was sie meinte, aber er nickte trotzdem.

»Wahrscheinlich benötigst du medizinische Betreuung«, sagte Eleanor. »Zieh dein T-Shirt aus.«

Eleanor hatte eine bestimmte Art Befehle zu erteilen, und Owen tat, was sie sagte.

»Leg dich hin und schließ die Augen«, sagte sie. »Schwester, die Instrumente, bitte.«

Owen fühlte etwas Kaltes auf der Haut.

Kurz darauf sagte Eleanor zu Sadie: »Ich gebe Ihnen jetzt seine Leber. Halten Sie sie, während ich den neuen Ösophagus annähe. Und lassen Sie sie ja nicht fallen!«

Owen öffnete die Augen und sah Eleanor neben sich knien, ein Buttermesser in der Hand.

Genau in diesem Moment stürzten Andy und Leonard herein, um ihn zu retten.

»Warum hast du ihm die Leber rausgeschnitten?«, schrie Andy.

»Das ist nur eine kleine Operation«, sagte Eleanor gelassen. »Wir haben bereits sein Herz durch ein perfektes aus Aluminium ersetzt.«

Dann sagte sie Andy, er solle zurücktreten, damit in die Bauchhöhle des Patienten keine Krankheitskeime eindringen konnten.

Owen rechnete damit, dass Andy sie beiseite schubsen würde, stattdessen machte er brav einen Schritt zurück.

Eleanor hatte sehr ruhige Hände und verzog nur konzentriert eine Augenbraue, genau wie die richtigen Chirurgen im Fernsehen.

»Du musst absolut stillhalten«, sagte sie zu Owen. »Wenn du dich auch nur einen Millimeter bewegst, wird aus dem Knochenmarksaustausch nichts.«

Owen nickte, woraufhin Eleanor wütend das Messer fallen ließ.

»Was hab ich dir gesagt? Willst du für den Rest deines Lebens doppelseitig gelähmt sein?«

»Und selbst wenn«, sagte Sadie. »Ich werde dich ewig pflegen.«

Sie tupfte seine Stirn mit einem feuchten Papiertaschentuch ab. Dann beugte sie sich vor und küsste Owen auf die Wange.

Owen schoss hoch, als habe ihn eine Schlange gebissen, und lief fort, ohne Hemd.

Aber er entkam nicht für lange. Ein paar Tage später sagte ihm seine Mutter, dass er bei der Hochzeit neben Sadie in die Kirche gehen musste.

»Sie wird Blumenmädchen sein und du ihr Begleiter«, sagte Margaret.

»Ihr *Begleiter*«, sagte Owen. Das klang ja gerade so, als hätte er ihr den Rest seines Lebens zu folgen.

Eines Tages fragte Sadie Owen, in was für einem Haus er leben wollte.

»Ich hasse Häuser!«, sagte Owen. »Lieber wohne ich im Keller!«

Dann fragte sie ihn wegen der Möbel und ob er lieber Jalousien oder Vorhänge hätte und welches Muster auf dem Geschirr.

»Wir werden kein Geschirr haben!«, sagte Owen.

»Wir müssen Geschirr haben«, sagte Sadie ganz ruhig.

Und sie streckte die Hand aus und strich Owen übers Haar, woraufhin er zurückzuckte und zu seiner Mutter lief, die ihm sagte, dass er mit Sadie spielen müsse, egal wie sehr sie für ihn schwärmte.

Onkel Lorne ging es auch nicht gut. Er brauchte neue Schuhe. Aber seine Füße waren zu groß und er hatte zu lange damit gewartet, ein Paar in dem einzigen Laden zu bestellen, der auch seine Größe führte, dem *Laden für große Männer* in New York. Margaret sagte, er könne es ja mal in dem Schuhgeschäft in der Stadt versuchen, und dass Owen auch neue Schuhe bräuchte, sie also zusammen fahren könnten.

Sie fuhren in Onkel Lornes Truck. Frühlingsgrün bedeckte die Wiesen, Bäume und ungepflügten Felder. Die gepflügten Felder waren braun und schwarz vom Humus, und der Himmel war blau und schmerzte in den Augen.

Onkel Lorne hatte Probleme mit der Gangschaltung und der alte Wagen ruckelte furchtbar.

»Es heißt, dass man irgendwie 'ne Rede halten soll und so«, sagte Onkel Lorne, die Augen auf die Straße geheftet.

»Ich will nicht ihr Begleiter sein«, murmelte Owen.

»Man muss irgendwelche Toasts ausbringen«, grummelte Onkel Lorne. Er warf Owen einen kurzen Blick zu, dann schaute er zurück auf die Straße. »Sie lassen einen aufstehen. Vor allen Leuten«, sagte er.

»Ich sehe nicht ein, warum ich ihr Begleiter sein soll«, sagte Owen.

Onkel Lorne gab ein undefinierbares Geräusch von sich und schüttelte den Kopf. »Egal, ich finde sowieso keine Schuhe.«

Sie konnten noch nicht einmal den Schuhladen finden. Ziellos kurvte Onkel Lorne durch die Hauptstraßen. Jedes Mal, wenn irgendjemand die Straße überqueren oder in sie einbiegen wollte, stieg er auf die Bremse.

Owen schlug vor, sie sollten den Wagen abstellen und jemanden fragen, aber Onkel Lorne fiel es schwer, einen Parkplatz zu finden. Er schien Angst davor zu haben, anderen Autos zu nahe zu kommen. Schließlich, viele Blocks von der Hauptstraße entfernt, fand er einen Platz allein auf weiter Flur.

Sie liefen ins Stadtzentrum zurück und Onkel Lorne sagte: »Man muss sagen, wie schön alle sind.« Er schüttelte den Kopf. »Nicht alle. Man muss sagen, wie schön die Braut ist.«

»Ich verstehe nicht, warum Sadie wählen durfte«, sagte Owen. »Und warum sie dann gerade mich gewählt hat!«

Onkel Lorne gab schon wieder ein komisches Geräusch von sich.

Auf der Hauptstraße gingen sie am Eisenwarenladen, dem

Eckladen, ein paar Kleiderläden und der Apotheke vorbei. Owen wandte sich an eine ältere, dicke Dame in einem albernen Hut, die aussah, als könnte sie helfen.

»Wissen Sie, wo das Schuhgeschäft ist?«, fragte er.

»Zwei Blocks weiter«, sagte sie und zeigte in die Richtung.

Nach einer Weile fanden sie es dann auch. Der Besitzer war ein kleiner Mann in Schlips und Anzug, er hatte ein gestutztes Bärtchen und Schuhe, die glänzten wie Glimmer in der Sonne. Er holte ein Messgerät mit ausklappbaren Seitenteilen zum Feststellen der Schuhgröße. Er kniete vor Onkel Lorne nieder und hatte große Mühe, dessen Füße in dem Messgerät unterzubringen.

»Könnte sein, dass ich was dahabe«, sagte er zweifelnd und ging nach hinten.

»Sie stoßen mit den Gläsern aneinander«, sagte Onkel Lorne und starrte im Spiegel auf seine Füße. »Man muss sich vor allen Leuten erheben.«

Der Verkäufer kehrte mit einem Paar staubiger schwarzer Lederschuhe wieder, die anscheinend zu groß für einen Karton gewesen waren. Er zog die Schnürsenkel durch die Löcher und bog die Zunge zurück. Dann kniete er sich wieder neben Onkel Lorne und hielt ihm einen Schuhlöffel an den Hacken. Onkel Lorne stand auf und stöhnte, als sein Fuß in den Schuh fuhr.

»Wenn sie nicht passen, wirst du wohl nicht heiraten können«, sagte Owen hoffnungsvoll.

»Sind das die größten, die Sie haben?«, fragte Onkel Lorne.

»Ich fürchte, ja«, sagte der Verkäufer.

Der zweite Schuh ließ sich ein klein wenig leichter anziehen und Onkel Lorne machte ein paar vorsichtige Schritte.

»Wenn ich meine Füße vorher in Eiswasser tauche«, sagte er schließlich, »dann könnte es gehen. Es ist ja nur für einen Nachmittag.«

Owen wählte ein Paar, das am Hacken drückte und ihm bei jedem Schritt leises Jammern entlockte. Das schienen die passenden Schuhe für den Tag zu sein, an dem sein Leben enden würde.

Auf dem Heimweg nahm Onkel Lorne eine Nebenstraße und parkte den Truck an einem hübschen Uferstück an der Flussbiegung, wo eine große Trauerweide am Wasser stand. Er zeigte Owen, wie man sich auf einen der unteren Äste ziehen und still darauf liegend direkt hinunter in eine seichte Stelle blicken konnte, wo sich ein halbes Dutzend Barsche sonnte.

Eine Weile beobachteten sie die Fische und dann erzählte Owen von seinem Problem mit Sadie. Er erzählte, wie sie ihn immer anguckte und an ihm klebte, und wie schrecklich es wäre, neben ihr in die Kirche einziehen zu müssen.

Onkel Lorne hörte ruhig zu, und als Owen fertig war, sagte er: »Herzen sind wie Fische.«

»Wie meinst du das, Fische?«, fragte Owen.

Onkel Lorne erwiderte: »Es passiert nicht oft, dass man direkt in ein Herz schauen kann. Das gibt es nicht alle Tage. Auch wenn es nicht das richtige ist, sollte man es trotzdem vorsichtig behandeln. Wenn nicht, sieht man vielleicht nie wieder eins.«

Und sie betrachteten noch eine Weile die Fische, bevor sie nach Hause fuhren.

Bei der Probe für die Hochzeit bestand Sadie darauf, dass Owen ihre Hand hielt, und zwar die ganze Zeit und nicht nur, wenn sie den Mittelgang in der Kirche entlangschritten. Owen wand sich und schwitzte und seine Schuhe quälten ihn.

Sadie sagte: »Ich denke, wir sollten sechs Kinder haben, alles Mädchen.« Sie trug ein gelbes Rüschenkleid und hatte Blumen im Haar. Eleanor war auch Blumenmädchen, aber aus irgendeinem Grund brauchte sie keinen Begleiter. Sie stand kerzengerade, stolz und allein da. Das bedeutete, dass Andy und Leonard während der Probe an den unmöglichsten Stellen an ihnen vorbeiliefen, furzende Geräusche von sich gaben und riefen: »Zuerst kommt Liebe, dann kommt Heirat und dann kommt Owen mit 'nem Kinderwagen!«

»Deine Brüder sind so unreif«, sagte Sadie und drückte Owens Hand.

Am Tag der Hochzeit bestand Margaret darauf, dass die Jungs bereits Stunden vorher fertig angezogen waren und sich nicht rührten, um die guten Sachen nicht dreckig zu machen. Sie selbst wirbelte wie ein Zyklon herum. Sie bändigte das Haar der Jungs mit einer Bürste, schimpfte mit Horace wegen seinem Schlips, brachte Onkel Lorne dazu, seinen Hochzeitsanzug und die schmerzenden neuen Schuhe anzuziehen, und telefonierte mit Lorraine wegen den Blumen, dem Essen, ihrem Haar und ihrem Kleid.

Als die Zeit zum Aufbruch näher rückte, bemerkten sie plötzlich, dass Onkel Lorne verschwunden war.

»Vielleicht ist er ein bisschen spazieren gegangen«, sagte Horace. »Zukünftige Ehemänner gehen oft an ihrem großen Tag spazieren.«

»Du findest ihn mal besser«, sagte Margaret. Horace war der Trauzeuge und verantwortlich dafür, dass Lorne rechtzeitig in der Kirche auftauchte.

»Er kommt bestimmt gleich zurück«, sagte Horace.

»Wenn er zu spät kommt, wenn er dieser Frau irgendwie das Herz bricht«, sagte Margaret, »dann lass ich mich von dir scheiden und ziehe mit den Kindern zu Lorraine.«

»Warum denn von *mir* scheiden?«, fragte Horace.

»Weil er *dein* Bruder ist, darum«, sagte Margaret.

Die Jungs durften nicht nach draußen, um nach ihrem Onkel zu suchen. Sie mussten im Wohnzimmer sitzen bleiben und auf ihre Kleider Acht geben.

Sie beobachteten, wie der Zeiger der Uhr erst Viertel vor eins anzeigte, dann ein Uhr und dann ein Uhr fünfzehn.

Die Hochzeit sollte um zwei stattfinden.

Um zwanzig nach eins meinte Margaret, die Jungs sollten ihrem Vater bei der Suche nach Onkel Lorne helfen. Also stürzten sie mit einem Affenzahn aus dem Haus, rannten hinunter zu dem schlammigen Feld am Ende der Straße, in den Wald und zum Spukhaus und schrien die ganze Zeit: »Onkel Lorne! Onkel Lorne!«

Aber er war nicht da. Er war nicht auf der Bullenweide und nicht auf dem Toten Mann. Er saß nicht im Apfelbaum und hockte nicht in seinem Zimmer im Keller. Owens Füße taten von all dem Laufen höllisch weh und er wusste nicht, ob er Onkel Lorne überhaupt finden wollte.

Doch ob die Hochzeit nun stattfinden würde oder nicht, er war dazu verflucht, ewig mit Sadie verbunden zu sein.

Schließlich sagte Margaret, sie müssten nun gehen. »Wenn er nicht von selbst zur Kirche kommt, dann ist es sein Problem. Schließlich ist er erwachsen.«

»Mein Problem ist es auch«, sagte Horace düster.

Als die Familie Skye fünf Minuten vor zwei an der Kirche ankam, war der Parkplatz voll und die Kirchenbänke dicht besetzt, aber von Onkel Lorne keine Spur.

Andy und Leonard durften sich nach vorn in die Nähe des Pfarrers setzen, aber Owen musste im Hintergrund der Kirche an der großen Tür warten und Sadies klebrige kleine Hand halten. Das Kleid, das Margaret für Lorraine genäht hatte, war aus wolkenweißem Satin, der ständig raschelte, ganz gleich, ob Lorraine sich bewegte oder nicht. Alles roch nach Blumen und Sorgen.

Um Viertel nach zwei nahm Margaret Lorraine mit in einen Seitenraum, um dort ungestört zu warten. Sie sagte Owen, er solle sich mit Sadie an die große Tür stellen und nach Onkel Lorne Ausschau halten.

Um zwanzig nach zwei stellte sich Horace vor die versammelten Gäste, verkündete, dass sich der Bräutigam verspätet habe, und bat um ein paar Minuten Geduld.

Aber Horace sah selbst alles andere als geduldig aus. Sein Gesicht war rot und zuckte nervös und sein Anzug war durchgeschwitzt. Selbst nachdem er aufgehört hatte zu sprechen, ging sein Mund auf und zu, als schnappte er nach Luft.

»Dein Vater sieht aus wie ein Fisch«, sagte Sadie. »Und dein Onkel ruiniert das Leben meiner Mutter!«

»Fisch!«, sagte Owen und blickte Sadie an. Dann sagte er: »Deine *Mutter* heiratet meinen *Onkel*.«

»Sieht nicht so aus«, sagte Sadie.

Owen wand sich aus Sadies Griff und lief aus der Kirche. Sie verfolgte ihn, aber er kümmerte sich nicht darum, er lief einfach schneller und schneller und bald konnte er ihr Rufen nicht mehr hören. Er hatte das Gefühl, als ob seine Füße in den Schuhen bluteten. Aber er konnte nicht stehen bleiben, bis er an der idyllischen Stelle am Fluss angekommen war. Er wusste noch nicht einmal genau den Weg, aber seine Füße schienen ihn zu kennen und nach einiger Zeit war er da. Seine Lungen waren wie zerrissen vor Schmerz und seine Füße jenseits von gut und böse.

Onkel Lorne saß auf dem untersten Zweig der großen Weide und ließ seine nackten Füße ins Wasser hängen. Seine glänzenden neuen Schuhe standen hinter ihm am Ufer.

»Onkel Lorne!«, schrie Owen.

Lorne sah ihn an, als wäre er ein interessanter Vogel, der am Straßenrand krähte.

»Was tust du da?«, fragte Owen.

Onkel Lorne erwiderte: »Ich versuche meine Füße in die richtige Größe zu bringen, aber das Wasser scheint nicht kalt genug zu sein.«

Owen quälte sich aus seinen eigenen elenden Schuhen,

krempelte die Hosenbeine hoch und watete dahin, wo Onkel Lornes Füße im Wasser baumelten. Er fand das Wasser
ganz schön kalt. Seine Füße waren in einem jammervollen
Zustand und der weiche Schlamm tat ihnen gut.

»Onkel Lorne, du musst in die Kirche!«, sagte Owen. »Auf
der Stelle!«

Aber Onkel Lorne rührte sich nicht, er sah hinunter ins
Wasser, wo Owens unruhige Füße den Schlamm aufwühlten.

»Denk an den Fisch, Onkel Lorne«, sagte Owen. »Herzen
sind wie Fische.«

Es war, als erwache Onkel Lorne aus einem bösen Traum.
Er sah auf die Uhr, kletterte vom Ast der Weide und lief die
Straße hinunter. Die Schuhe ließ er zurück. Owen stieg aus
dem Wasser und jagte ihm hinterher. Neben der Straße war
ein Streifen Gras, darauf lief es sich mit nackten Füßen ganz
wunderbar. Aber Owen fand, es ließe sich noch besser laufen,
wenn er den Schlips aufknotete und sein Jackett auszog.

Er bewegte die Arme auf und ab und richtete seine Augen
auf Onkel Lornes dunklen Rücken. Sein Onkel war linkisch
und schwerfällig, aber erstaunlich schnell.

Sie rannten in die Kirche wie zwei barfüßige Krieger. Onkel Lorne war schlammbespritzt, schweißgebadet, seine Augen rollten. Er sagte zu Horace: »Ist sie schon weg?«, und
Horace beruhigte ihn und geleitete ihn nach vorn zum Altar.

Die arme Sadie hatte geweint. Owen griff ihre Hand, und als die Musik erklang, sagte er: »Ich kann dich nicht heiraten.«

»Warum nicht?«, fragte sie. Sie gingen nun den Gang hinunter und alle sahen sie an. Sadies Augen waren geschwollen und nass vor Tränen.

»Ich kann nicht«, flüsterte Owen.

Er fühlte, dass sie seine Hand so fest umklammert hielt, als wollte sie ihn niemals mehr loslassen.

Nun waren sie ganz nah am Altar und Owen sah, wie der Pfarrer sie erstaunt anblickte. Onkel Lorne – barfuß und dampfend wie ein Heizkessel – starrte über ihre Köpfe hinweg auf die Braut, die gerade eintrat.

»Wir werden ab jetzt Cousin und Cousine sein«, sagte Owen. »Und die können nicht heiraten. Das weiß jeder.«

Er versuchte dies so freundlich wie möglich zu sagen. Er sagte nichts von der Frau des Moddermannes, die blind war, oder dass die Kinder von Cousins zwei Köpfe bekommen können.

Sie gingen nach vorn und Owen machte einen Schritt nach rechts und stand neben Lorne und seinem Vater. Sadie trat nach links und wartete auf ihre Mutter. Und die ganze Zeit während der Trauungszeremonie schaute sie zu Owen hinüber und er schaute zurück. Er schaute so nett er nur konnte und stellte sich vor, er schaue in einen tiefen, klaren See.

Die Tasche des Todes

An einem schönen Sommertag liefen die Jungs durch den Wald und jagten Dinosaurier. Ihre wichtigsten Waffen waren Pfeile, hergestellt aus Farnwedeln, von denen sie die Blätter abgestreift hatten. Die Bögen waren aus Erlenzweigen und Küchenschnur. Da die Dinosaurier fürchterliche, aber scheue Tiere waren, mussten die Jungs ganz still sein.

Einer hinter dem anderen krochen sie in gespannter Erwartung durch den Wald, als sie zu der Lichtung am Bahndamm kamen und die Menschenmenge erblickten. Außerdem schwarz-weiße Polizeiwagen mit blinkendem Rotlicht, aber abgeschalteter Sirene, und gelbe Absperrpfosten, um die Leute fern zu halten. Andy meinte, die Absperrung sei nicht für Kinder gemacht, also schlüpften die drei hindurch und sahen auf die Gleise.

Owen erblickte ein Stück verbogenes Metall, kleiner als ein Auto, aber größer als ein Gokart. Und er sah Polizisten in blauer Uniform und mit schwarzen Helmen und Bahnarbeiter in schmutzigen Overalls und andere Männer in Hemdsärmeln und mit Sonnenbrillen.

Es war ein heller, heißer Tag, die Luft schien vor Elektrizität zu knistern. Owen konnte keinen Zug entdecken, nur die Zerstörung, die er hinterlassen hatte. Die Stille war Furcht erregend und es herrschte ein seltsamer Geruch, es war, wie wenn man am Morgen noch im Halbschlaf riecht, dass etwas in der Pfanne verbrennt.

Alle sprachen darüber, was passiert war. Ein Mann und sein Sohn waren mit einer Draisine auf den Schienen gefahren. Es war ein klarer und sonniger Tag, aber als der Zug kam, war keine Zeit mehr gewesen auszuweichen. Vielleicht weil sich der Zusammenstoß in der Kurve ereignet hatte. Vielleicht hatte der Mann auch zum falschen Zeitpunkt zu seinem Sohn geblickt. Oder vielleicht hatte der Sohn auf der einen Seite den Hebel bedient und der Vater auf der anderen, mit dem Rücken zu dem ankommenden Zug.

Die Leute wunderten sich, warum die beiden den Zug nicht hatten kommen hören, aber Owen wusste von ihrem Erlebnis im Winter, wie schnell so ein Zug auftauchen konnte. Im einen Augenblick stand man noch auf den Schienen und sah über die Brücke, im nächsten purzelte man die Böschung hinunter und der Zug brauste über einen hinweg.

Der Vater hatte gerade noch Zeit gehabt, seinen Sohn zu greifen und von der Draisine runterzuschubsen, bevor er selbst vom Zug überrollt wurde. Owen sah die zerquetschte Draisine an. Es gab keine Spur mehr von dem Mann.

Owen hatte schon Menschen sterben sehen, im Fernsehen. Meistens lief das folgendermaßen ab: Ein Böser wurde von einem Guten ins Herz geschossen und rollte dann über die Klippen und fiel tausend Meter tief ins Meer. Eine andere Variante: Ein brennendes Haus stürzte über dem Guten und dem Bösen zusammen, aber der Gute schaffte es, sich aus den Flammen zu befreien, während der Böse mit dem Fuß hängen blieb und fürchterlich schrie, während er starb.

Aber das hier war ein anderes Sterben. Ein schlechter Geruch hing in der Luft und da war das zerquetschte Wrack und so gar nichts sonst zu sehen. Das Nichts war da, wo eigentlich der Zug hätte sein sollen, das Loch im Gebüsch, wo der Junge gelandet war, und der übel zugerichtete Ort, wo der Körper des Mannes gelegen hatte.

Wenn der Vater noch Zeit genug gehabt hatte, seinen Jungen in Sicherheit zu bringen, warum hatte er es nicht geschafft, den Jungen zu nehmen und mit ihm gemeinsam runterzuspringen, überlegte Owen. Hätte das nicht genauso lang gedauert? Warum hatte er sich nicht auch selbst gerettet?

Nach ein paar Stunden waren die Schaulustigen wieder

gegangen und nach ein paar Tagen erinnerte nichts mehr an den Unfall außer den gelben Absperrpfosten, die die Polizei zurückgelassen hatte. Das Draisinenwrack war fortgeschafft worden, aber der merkwürdig versengte Geruch war geblieben.

Es war unheimlich, an den Gleisen zu stehen und dahin zu schauen, wo das Wrack gelegen hatte, und nur noch ein Loch im Gebüsch zu sehen und diesen Geruch zu riechen.

Owen konnte nicht anders, er musste sich vorstellen, wie es war, durch die Luft zu fliegen, zu sehen, wie der Zug die Draisine und den Vater zermalmte, dann schmerzhaft im Gebüsch und auf den Steinen darunter zu landen, das Warnsignal des Zuges zu hören, das Kreischen der Räder und die Schreie des Vaters.

In diesem Sommer verbrachten die Kinder viel Zeit damit, sich in einem Comicheft die Werbung für ein Unterseeboot anzuschauen. Es war aus Styropor, konnte bis zu zehn Fuß tauchen und für Spionage und nationale Verteidigung genutzt werden. Es sollte 69,95 Dollar kosten und kam per Post, aber zuerst musste man das Geld hinschicken.

Owen und seine Brüder überlegten, wie sie sich selbst eins bauen konnten. Sie hatten ein Stahlrohr und zwei Taschenspiegel, aus denen möglicherweise ein Periskop zu basteln war. Sie besaßen ebenfalls eine Fahrradkette, ein Paar Pedale und einen Ventilator aus Plastik, der für den Antrieb geeignet schien, sowie mehrere Schaubilder von Schiffskörpern. Aber sie hatten kein Styropor und auch keine Idee, wie sie an dieses spezielle Abwehrmaterial herankommen sollten.

»Wir könnten Holzplanken nehmen und die Ritzen mit Stoff auskleiden«, schlug Leonard vor. Aber Andy meinte, der Stoff würde das Wasser nur kurze Zeit abhalten, dann würde es eindringen und das U-Boot auf Grund sinken lassen.

Andy wollte das U-Boot benutzen, um damit den Meeresboden nach Riesenkraken abzusuchen. Die waren bekannt dafür, dass sie ganze Ozeanriesen verschlangen. Owen war nicht sicher, ob er einem Riesenkraken begegnen wollte, aber Andy meinte, mit dem speziellen Unterseeboot seien sie auf jeden Fall schneller als jeder Riesenkrake und nicht in Gefahr.

»Und darum müssen wir uns Geld beschaffen«, sagte Andy.

Aber die Jungs wussten nicht, wie.

Margaret stellte sie mit einem Limonadenstand vor das Haus, aber es kam fast niemand vorbei und die Jungs tranken die meiste Limonade selbst, ohne dafür zu bezahlen.

Dann verpflichtete Andy sie alle zu Extraarbeiten, für die sie Geld verlangten. Leonard deckte jeden Abend den Abendbrottisch, Andy putzte die Garage und mähte den Rasen dreimal an einem Tag und harkte den Kies auf der Einfahrt.

Owen fegte die Treppe rauf und wieder runter und räumte ihr Zimmer auf, sodass keiner mehr etwas wiederfand, dann schrubbte er die Badewanne, bis seine Finger schmerzten.

Am Ende der Woche legten sie ihr Geld zusammen und stellten fest, dass sie ihrem U-Boot um 78 Cent näher gekommen waren.

»Wie viel fehlt noch?«, fragte Leonard.

»69 Dollar und siebzehn Cent«, sagte Andy. Er rechnete aus, dass sie in diesem Tempo das Geld für das U-Boot zusammenhätten, wenn sie längst Großväter wären.

Die Jungs beschlossen, ihre Comicsammlung zu verkaufen. Sie hatten fast hundert Hefte und eine ganze Menge davon sogar noch mit Deckblatt.

Nahe der Einmündung zur Landstraße bauten sie einen Stand auf und boten sie für fünf Cent das Stück an, außer dem Sonder-Doppelheft, in dem Captain Volatile mit der Verführerin Serpina um die Seele des Universums kämpfte. Das gehörte Andy und er wollte es eigentlich nicht verkaufen. Aber für den Fall, dass ein reicher Sammler vorbeikam, hatte er es mitgebracht.

Doch es kam überhaupt niemand vorbei. Am späten Nachmittag erschien dann ein kleiner, Kaugummi kauender Junge mit einer roten Baseballkappe. Er lehnte an seinem Fahrrad, wühlte in dem riesigen Stapel und sagte: »Hab ich … hab ich … kenn ich … hab ich gelesen … hab ich.« Schließlich hielt er bei dem Doppelheft mit Captain Volatile inne.

»Was kostet das?«

»Nicht zu verkaufen«, sagte Andy.

»Aber es liegt hier in dem Stapel«, sagte der Junge und zog es außer Andys Reichweite.

»Gib's wieder her«, sagte Andy.

Der Junge hielt es so, als wollte er es in zwei Teile reißen.

»Du hast nicht genug Geld, um dieses Heft zu kaufen«, sagte Andy. »Von Captain Volatile gab's nur fünf Ausgaben. Das ist eine Sammler-Edition.«

»Ich kann dir zwölf Cent geben«, sagte der Junge.

»Das kostet neu ja schon zwanzig!«

»Und jetzt ist es alt.« Der Junge sah nicht so aus, als beabsichtigte er, das Heft zurückzugeben.

»Wenn du es kaufen willst, kostet es 69 Dollar!«, sagte Andy. »Ich glaube nicht, dass du so viel Geld hast.«

»Und ich glaube nicht, dass dir dieses Heft gehört«, sagte der Kleine, und bevor einer von ihnen reagieren konnte, war er auf sein Rad gesprungen und fuhr davon. Das Doppelheft steckte zusammengerollt in seiner Hosentasche.

Die Gebrüder Skye jagten ihm hinterher. Leonard und Owen hielten nicht lange durch, aber Andy war ein ausdauernder Läufer und obendrein wütender als ein Stier. Der

Junge fuhr geradewegs ins Dorf und Andy folgte ihm bis zu seiner Haustür, die er mit den Fäusten bearbeitete, während er nach Luft schnappte. Owen beobachtete dies aus einiger Entfernung.

Der Kleine kam an die Tür, sah Andy und lief zurück ins Haus, um seinen älteren Bruder zu holen, der riesige Hände und ein unangenehmes Lächeln hatte.

»Das ist der Typ, der versucht hat mein Fahrrad zu klauen!«, kreischte der Junge.

»Das ist nicht wahr«, sagte Andy schwer atmend. »Du hast mein Comicheft geklaut!«

Zu dem großen Bruder des Jungen gesellte sich ein noch größerer Bruder und die beiden schubsten Andy in eine Hecke an der Seite des Hofes. Er bekam Schläge in den Bauch und auf die Nase und sein Blut tropfte auf die Schuhe des größeren der beiden Jungs. Dafür wurde Andy noch der Arm umgedreht und er wurde zu Boden gestoßen.

Owen hätte sich am liebsten auf die beiden Kerle gestürzt, egal, wie weh sie ihm tun würden. Zu spät. Er und Leonard konnten Andy nur noch helfen, nach Hause zu humpeln.

»Warum hast du ihm nicht den alten *eins-zwei*-Schlag verpasst?«, fragte Horace, als Andy erklärt hatte, was geschehen war. Margaret wischte Andys Gesicht ab und war sehr besorgt. Horace machte *eins-zwei*-Bewegungen mit der Hand.

Mit dem alten *eins-zwei*-Schlag boxte man erst mit der einen Faust, dann mit der anderen. Wenn man es richtig machte wie Horace, konnte einen keiner besiegen. Joe Louis hatte ihn benutzt und Jack Dempsey und Sonny Liston, man musste nur Übung und ein gutes Timing haben.

Auf dem Hof zog sich Horace große Baseballhandschuhe an und streckte die Hände aus, sodass die Jungs den *eins-zwei*-Schlag üben konnten.

Andy war darin am besten. Er schlug seine Fäuste mit einer solchen Wucht in Horaces Hand – *Whack! Whack!* –, dass man am liebsten augenblicklich das Weite suchte.

»Was machst du denn da mit den Kindern?«, fragte Margaret, als sie zu ihnen auf den Hof kam.

»Ich bringe meinen Söhnen bei, wie man sich verteidigt«, sagte Horace. »Willst du etwa, dass sie ihr Leben damit verbringen, an Blümchen zu schnuppern?«

»Es wäre auf jeden Fall schön, wenn sie einen guten Geruchssinn hätten«, sagte sie.

Nach dem Essen gingen die Jungs zurück zu dem Haus im Dorf. Es war kein leichter Gang. Und das, obwohl Andy den ganzen Weg über den *eins-zwei*-Schlag geübt hatte.

Sie kamen an die Tür und Andy klopfte, so laut er nur konnte. Seine Brüder standen zur Unterstützung neben ihm.

Der Vater öffnete. Er war ein unfreundlich aussehender

Mann mit einer gebogenen Nase und schwarzen buschigen Augenbrauen.

»Guten Abend, Sir, entschuldigen Sie, Sir, hallo!«, sagte Andy nervös. »Ich möchte Ihnen nur mitteilen, dass einer Ihrer Söhne mir heute Nachmittag ein wertvolles Comicbuch gestohlen hat. Und außerdem, Sir, haben mich zwei andere von Ihren Söhnen in die Hecke gestoßen und mir in den Bauch geboxt und meine Nase blutig geschlagen.«

Andy versuchte dem Blick des Vaters auszuweichen, aber der wurde so wütend, dass seine Fäuste sich zusammenballten und seine Lippen bedrohlich zuckten.

»Jeff!«, schrie der Vater und dann tauchte der kleine Junge auf. Er hatte das Captain-Volatile-Doppelheft in der Hand und schien überrascht zu sein, dass Andy zurückgekommen war, um noch mehr Prügel zu beziehen.

»Der Knabe hier behauptet, du hättest sein Comicbuch geklaut. Stimmt das?«

»Niemals!«, wollte Jeff gerade sagen, aber der Vater riss ihm das Doppelheft aus der Hand und schlug es ihm auf den Kopf, dass der Heftrücken aufplatzte, dann gab er es Andy.

»Sag, dass es dir Leid tut!«, befahl der Vater. Eine dünne Entschuldigung kam aus dem Mund des kleinen Jungen.

Auf dem Heimweg jubelten die Brüder Skye über ihren Sieg, aber nicht lange. Denn als sie sich umdrehten, bemerkten sie in der Dämmerung drei schwarze Silhouetten hinter ihnen. Es waren drei Fahrräder, die sie verfolgten. Andy führte seine Brüder in den Wald, den sie besser kannten als ihre Hosentaschen.

Die fiesen Brüder auf den Rädern begriffen nicht, wohin die drei so schnell verschwunden waren. Die Jungs konnten hören, wie sie durch den Wald lärmten. Ihre Räder waren zu breit für die schmalen Pfade, Äste bohrten sich in ihre Speichen und Wurzeln kickten sie aus dem Sattel. Die Kerle hatten echt Probleme, während Owen und seine Brüder wie Wölfe mit eingezogenen Köpfen durch den Wald schlichen.

Sie beobachteten, wie die Fieslinge völlig verloren umherstreunten. Dann machten sie sich in die andere Richtung davon. Andy hatte sein Doppelheft wieder. Es gab keinen Grund mehr zu kämpfen.

Das einzige Problem war, dass sie auf ihrem Weg nach Hause die Schienen überqueren mussten, und zwar genau an der Stelle, wo sich der Unfall ereignet hatte. Es war *eine* Sache, diesen verschmorten Geruch bei Tag zu riechen, und eine andere, dort im Dunkeln über die Gleise zu müssen.

Die Stelle im Gebüsch, wo der Junge gelandet war, war ein schwarzes gähnendes Loch, die mörderischen Schienen gleißten im Mondlicht wie Silber, und ein übrig gebliebener gelber Absperrpfosten lehnte wie betrunken an einem Baum.

Owen fühlte, wie ihm ein Kloß in den Hals stieg, wenn er daran dachte, was genau an dieser Stelle geschehen war.

»Ich kann hier nicht rüber!«, sagte Leonard mit zitternder Stimme.

»Auf dem Weg ins Dorf bist du auch rübergegangen«, sagte Andy. Aber jeder konnte bei Tag über die Gleise an der Hauptstraße. Doch nun war es Nacht, und dies war die Stelle, wo jemand ums Leben gekommen war.

Andy sagte: »Mach einfach die Augen zu und ich trag dich rüber, okay?«

»Nein!«, schrie Leonard, und seine beiden Brüder sagten: »Schhh!«, denn die fiesen Kerle trieben sich bestimmt noch irgendwo im Wald rum.

»Das sind nur zwei Schritte – *eins-zwei!*«, drängte Andy. »Und dann sind wir praktisch schon zu Hause.«

»Ich kann nicht«, quiekte Leonard. Er hockte sich hin und umschlang seine Knie mit den Armen.

Owen überquerte die Gleise und ging dahinter ein Stück den Weg entlang. »Guck, Leonard, es ist ganz einfach. Nicht so wie auf der Eisenbahnbrücke.«

»Nur zwei Schritte!«, sagte Andy und ging ebenfalls über die Schienen. »Komm schon!«

Aber Leonard rührte sich nicht. Er schaute noch nicht einmal hoch, sondern kauerte weiter im Dunkeln.

»Dann gehen wir eben ohne dich!«, rief Andy, und er und Owen drehten ihm den Rücken zu und gingen auf dem Pfad neben den Gleisen einfach weiter.

Sie waren fast hinter der Wegbiegung verschwunden, als sie Leonards Schrei hörten. Owen überfiel eine Welle von Übelkeit, es war ein Gefühl ähnlich dem, was der Vater gefühlt haben musste, als er sich – zu spät! – umgedreht hatte und den Zug auf sich zurasen sah.

Aber es war kein Zug. Es waren die fiesen Kerle, die Leonard gefunden hatten, und das war Owens und Andys Fehler, denn sie hatten ihn allein gelassen.

Natürlich dachten sie keine Sekunde daran, sich in Sicherheit zu bringen. Sie rannten zurück und stürzten sich in einer verheerenden *eins-zwei*-Formation auf die Angreifer: Captain Volatile und Doom Monkey, der Unberechenbare, kämpften vereint, um die Mächte der Finsternis zurückzudrängen! Es stimmte, Doom Monkey fehlte der Hut des Grauens, aber da war der Überraschungseffekt. Sie schrien und brüllten wie wilde Tiere und es gelang ihnen wirklich, die Fieslinge in der Dunkelheit zu erschrecken.

Aber schnell begriffen die, wer da auf sie zusprang, und sie waren überhaupt nicht mehr erschrocken. Der größte der Brüder schleuderte Owen in einen Farn, dann beförderte er Andy in einen Dornstrauch, während die beiden jüngeren

Brüder Leonard an den Armen hielten und ihn schüttelten. Owen rappelte sich hoch, nur damit sie ihm ein Bein stellen und ihn in die Fahrräder schubsen konnten. Andy versuchte sich aus den Dornen zu befreien und zerriss sich sein T-Shirt. Als er endlich losgekommen war, griff er nach Leonard, aber die fiesen Brüder zogen Leonard vom Weg und stießen ihn in eine Pfütze.

Nun stürzten sich gleich alle drei Brüder auf Andy und Owen. Andy wich aus, dann schnellte seine Rechte vor – *eins-zwei!* Aber seine Fäuste prallten an der Schulter des großen Bruders ab wie Pingpongbälle.

»Was war das denn?«, fragte der mittlere Bruder.

»Ein Wattebausch«, sagte der Schläger und lachte.

»*Eins-zwei!*«, rief Andy diesmal ganz laut, während seine Schläge vom Ellbogen des größeren Jungen wirkungslos abprallten.

»Nein, ich meine das!«, sagte der mittlere Junge. »Was war das? Hört doch!« Er sah verängstigt aus. Plötzlich war ein merkwürdiges Geräusch in der Luft – ein dumpfes, langsames, bedrohliches Stöhnen. Der größere Junge hörte auf zu lachen und drehte sich um, um zu lauschen.

»Schhh!«, sagten die beiden Jungs plötzlich, und Owen dachte, dies sei der perfekte Moment für Andy, um dem Kerl eins in den Magen zu geben.

Aber Andy rührte sich nicht. Dann hörten sie es alle wieder – das schwache, grausige Stöhnen.

»Das kommt von da, wo der Unfall war«, sagte Owen schnell. »Wir waren hier. Wir haben alles gesehen.«

»Ihr habt gesehen, wie der Zug den Karren überrollt hat?«, fragte der größere Kerl. Er war blass geworden.

»Nein«, sagte Owen. »Aber wir haben gesehen, was aus dem Karren geworden ist. Wo die Leiche war. Es war genau da!« Und genau von dort, wo er hinzeigte, ertönte ein neues Geisterstöhnen.

Die Fieslinge konnten gar nicht schnell genug zu ihren Rädern kommen. Der Älteste sprang auf und fuhr direkt gegen einen Baum. Der Jüngste fiel runter und das Rad fuhr über ihn drüber, und der Mittlere stürzte in die Pfütze, aus der Leonard gerade herauskam. Aber das hielt sie nicht lange auf. Alle drei stiegen wieder auf ihre Räder, verschwanden in der Nacht und ließen die Skye-Brüder allein zurück.

Die standen da und lauschten, ob noch mehr gespenstisches Stöhnen erklang.

»Glaubt ihr, das war er?«, fragte Owen auf dem Nachhauseweg.

Andy sagte: »Möglicherweise.«

Leonards nasse und schlammige Kleidung, die Kratzer auf Andys Armen, Beinen und auf der Wange von den Dornen und die Beule auf Owens Stirn, da, wo er auf dem Fahrrad gelandet war, ließen sich natürlich nicht verbergen.

Als sie zu Hause ankamen, sagte Margaret zu ihrem Mann: »Da siehst du mal, was passiert, wenn du die Jungs zum Kämpfen ermutigst!«

Horace wollte alle Details wissen. Hatten sie den guten alten *eins-zwei*-Schlag angewendet? Den Jungs fiel es nicht leicht zu erklären, wie riesig die Kerle gewesen waren und wie schwach ihre eigenen Arme und Fäuste sich anfühlten, als es zu einem Kräftemessen gekommen war.

»Aber was ist geschehen? Wie habt ihr euch befreit?«, fragte Horace. Und sie konnten es nicht richtig erklären, das gruselige Stöhnen, das plötzlich von überall her aufgetaucht war.

In dieser Nacht träumte Owen von dem Unfall. In seinem Traum klang das Kreischen des Zuges genau wie Leonards Schrei. Und plötzlich verstand Owen, dass es in dem Moment, als der Vater nach seinem Sohn gegriffen hatte, bereits zu spät gewesen war. Aber der Vater hatte das Unmögliche getan. Er hatte dem Tod in die Tasche gegriffen, seinen Sohn herausgezogen und in das Gebüsch und damit in Sicherheit geschleudert. Er hatte keine Zeit zum Nachdenken gehabt, er hatte ganz instinktiv gehandelt.

Schweißnass fuhr Owen aus dem Schlaf, überall sah er den Unfall und hörte das Stöhnen, das gleiche grausige, gespenstische Geräusch, das sie vor den Schlägern gerettet hatte. Er setzte sich auf und blinzelte in die Dunkelheit, um zu sehen, wo das Gespenst war. Sein Herz sprang ihm fast aus der Brust vor Angst.

Dann sah er das merkwürdige Lächeln auf Leonards Gesicht und hörte das vertraute Stöhnen, das das grausige Schnarchen seines kleinen Bruders begleitete.

Der Unfall

m it der Hochzeit von Onkel Lorne und Mrs Foster wurden Eleanor und Sadie die Cousinen von Owen, Andy und Leonard und kamen dementsprechend oft zu Besuch.

Eleanor stellte so ziemlich alles in Frage, was die Jungs taten. Sie sagte, sie glaube nicht, dass ein U-Boot aus Styropor einen Riesenkraken besiegen könne, und Außerirdische und Geister gäbe es sowieso nicht.

»Aber was ist mit Brinks' Kuh und der Frau vom Moddermann?«, fragte Andy.

Eleanor sagte, das müssten optische Täuschungen gewesen sein.

»Aber die Sache mit Brinks' Kuh kam in den Nachrichten!«, rief Andy. »Und Leonard hat mit der Frau vom Moddermann *gesprochen*. Da war nichts Optisches dabei!«

Eleanor hörte die Geräusche in Andys Detektorradio und

sagte, dass sie nicht aus dem Weltraum kämen, sondern einfach nur Radiowellen wären.

»Stimmt!«, sagte Andy. »Radiowellen aus fernen Galaxien!« Er holte sogar seine Maß- und Gewichtstabelle heraus, um ihr zu zeigen, wie man den Code dechiffrierte, aber sie hörte nicht zu. Sie gehörte dem Club Junger Wissenschaftler an, und die Jungen Wissenschaftler hielten sich nur an Fakten.

Andy sagte, dass er die Jungen Wissenschaftler für eine Bande von Weicheiern halte, und Eleanor meinte, man würde selber ein Weichei, wenn man mit einem Kontakt hätte.

Also verschwanden die Jungs in ihrer Festung, die sich oben auf dem stets offenen Garagentor befand. Es war der perfekte Platz, wenn man einem Jungen Wissenschaftler aus dem Weg gehen wollte.

Eleanor kümmerte sich nicht darum, wo die Jungs hingingen. Sie sagte, sie würde Chemikalien zusammenmixen und neue Mittel erfinden, um sämtliche Krankheiten der Welt zu heilen. Sie hatte ein Junge-Wissenschaftler-Reagenzröhrchen-Set, das mehrere Pulver in unterschiedlichen Farben enthielt, eine komplizierte Gebrauchsanweisung sowie ein Mikroskop mit hundertfacher Vergrößerung, um die Wunder der Biologie von nahem zu betrachten. Eleanor und Sadie öffneten das Set auf dem Boden der Garage und begannen mit ihren Experimenten, während die Jungs oben in ihrer Festung saßen und so taten, als sähen sie sie nicht. Aber das war nicht leicht, denn die Experimente produzierten eine Menge Rauch, von dem die Jungs husten mussten, und sie fragten sich, was die Mädchen wohl als Nächstes anstellen mochten. Immerhin hatten die Jungen Wissenschaftler auf diese Weise herausgefunden, dass Rauch aufsteigt, während die frische Luft am Boden bleibt.

Nach ein paar Minuten meinte Leonard, dass es wohl besser sei, für eine Weile ebenfalls ein Junger Wissenschaftler zu sein.

»Wovon redest du?«, sagte Andy. »Die Festung verlassen?«

»Ich glaube, sie versucht, uns auszuräuchern!«, sagte Leonard und dann ließ er sich an dem rostigen Drahtseil hinunter, das sie benutzten, um in die Festung und wieder hinauszukommen. Das Drahtseil lief über einen Flaschenzug, am anderen Ende hing ein alter Blecheimer voller Steine. Das Gewicht des Eimers hielt die Garagentür offen. Nicht dass man befürchten müsste, sie würde sich schließen, sie hatte seit Menschengedenken offen gestanden.

Eleanor mixte immer neue Substanzen zusammen. Der Rauch wurde gelb und blau, dann rot und braun, und es roch, als sei der Moddermann gurgelnd und dampfend hinter einem her.

Nun hatte auch Owen genug von der Festung.

»Bist du etwa auch ein Weichei?«, fragte Andy.

»Ich bin kein Weichei. Vielleicht bin ich ja ein Spion und spioniere aus, was diese Jungen Wissenschaftler da treiben!« Dann kletterte er an dem rostigen Drahtseil hinunter und schloss sich Leonard und Sadie an, die neben Eleanor und ihrem Rauchtest-Set hockten. Die Rauchwolken, die jetzt aufstiegen, waren weiß und rochen nach Tod und Verwesung.

»Das Phantastische an der Wissenschaft ist«, sagte Eleanor, »dass du jedes Problem lösen kannst, das sich dir stellt. Die Mischung, die ich gerade herstelle, heilt Krankheiten der Atemwege und begünstigt die Eierproduktion bei Hühnern.«

»Ich seh aber keine Hühner«, sagte Leonard.

»Wenn hier aber Hühner wären«, sagte Eleanor, »dann würden sie wie verrückt Eier legen.«

Andy rief von oben herunter: »Ich werde euch gleich ein paar Eier an den Kopf knallen, wenn ihr nicht sofort damit aufhört, meine Festung zu verstänkern!«

Nun ging ein Geschrei los, von unten nach oben, von oben nach unten, und Margaret kam aus dem Haus, um ihnen zu sagen, sie sollten still sein und lieb spielen. Sie war allein mit den Kindern, denn Lorraine war zu Besorgungen in die Stadt gefahren und Horace und Onkel Lorne waren arbeiten.

Als Margaret erschien, wurde Eleanor sehr höflich und nett und sagte, dass Andy sie nicht in seine Festung ließ. Also befahl Margaret, dass Andy allen erlauben müsste hochzukommen. Wenn Margaret etwas befahl, dann war da eine Art Schlagholz in ihrer Stimme, als ob ihre Worte ein Baseball wären, den sie ein paarmal auf und ab tippen ließ, und man wusste, dass man sich besser nicht mit ihr anlegte.

Also sagte Andy, dass die Mädchen hoch in die Festung kommen dürften, wenn sie aufhörten Junge Wissenschaftler zu sein und den Rauch ausmachten. Was sie auch taten. Das einzige Problem war nur, dass sie nicht wussten, wie man an dem rostigen Drahtseil hinaufkam. Owen zeigte ihnen, wie man die Füße um das Drahtseil schlingen und sich raufziehen musste. Eleanor versuchte es, rutschte ab und sagte, sie befürchte, ihr Kleid werde ganz rostig.

»Was? Also willst du nicht hochkommen?«, sagte Andy. »Unsere Festung ist wohl nicht gut genug für einen Jungen Wissenschaftler?«

Eleanor ärgerte sich so sehr, dass sie das Drahtseil mit beiden Händen ergriff und sich heftig mit den Füßen abstieß, sie klammerte und zog, klammerte und zog, bis sie endlich irgendwie oben angekommen war, dabei schimpfte und fluchte sie die ganze Zeit.

»Und das ist alles?«, sagte sie, als sie oben angekommen war.

»Wie meinst du das?«, fragte Andy.

»Ihr habt ja noch nicht mal was zum Draufsitzen!«

»Man sitzt eben auf seinem Hintern!«, sagte Andy.

Zu sehen gab es Dachsparren und schiefe Dachlatten und sogar zwei kleine Fenster im Boden der Festung, durch die hindurch man beobachten konnte, was unter einem geschah.

»Das ist ja überhaupt keine Festung«, sagte Eleanor. »Ich verstehe nicht, was ihr immer damit habt.«

Owen versuchte Sadie hinaufzuhelfen. Es fiel ihr schwer, sich mit den Händen am Drahtseil festzuhalten, und sie konnte ihre Füße nicht daran festklammern. Owen stand unten auf dem Blecheimer und schob, und als das nichts half, kletterte er halb hoch und griff nach unten, um Sadie hochzuziehen. Plötzlich zog ihn das Drahtseil von ganz allein hoch. Einen Moment lang fühlte es sich an wie Zauberei und im nächsten wie das Schrecklichste, das Owen je erlebt hatte.

Schreie ertönten, nicht von Owen, sondern von Andy und Leonard und Eleanor, die eigentlich oben in der Festung hätten sein müssen, aber nun der Länge nach auf dem Boden lagen. Das Garagentor, das bisher nie geschlossen war, war aus einem wissenschaftlichen oder sonst wie mysteriösen Grund plötzlich zugefallen. Aber darum kümmerte sich im Moment keiner, denn Owen hing an einem Finger oben am Dach. Der Finger steckte zwischen dem rostigen Drahtseil und dem Flaschenzug.

Andy kletterte hoch, um nachzuschauen, und als er sah, dass der Finger wirklich eingeklemmt war, rief er Leonard zu, er solle ins Haus laufen und ihre Mutter holen.

Es dauerte eine Ewigkeit, bis Margaret zur Garage kam.

»Was ist hier los?«, fragte sie. Dann öffnete sie das Garagentor, um selbst nachzusehen, und Owen kam mitsamt dem Drahtseil runter.

»Hast du dich verletzt?«, fragte Margaret mit dieser Stimme, die sie benutzte, wenn nichts Ernstliches geschehen war, die Kinder aber dennoch nicht aufhörten zu weinen.

»Ich glaube«, sagte Owen und hielt seinen Finger hoch.

Daraufhin lief Margaret zurück ins Haus und alle Kinder liefen hinterher.

Owen blieb allein zurück. Die abgetrennte Spitze seines Fingers hing nur noch an einem Hautfetzen. Seine Hand war voll Blut und der Knochen schimmerte weißer als der weißeste Schnee.

Plötzlich durchfuhr ihn der Schmerz und er stand da, schrie, sah seinen Finger an und schrie wieder.

Er sollte nie erfahren, was seine Mutter so lange im Haus gemacht hatte. Ihm schien es, als wäre sie Stunden fort gewesen, aber vielleicht hatte sie auch nur ihr Portemonnaie gesucht. Vielleicht nicht nur ihr Portemonnaie, sondern auch eine Jacke. Vielleicht empfand Owen es auch nur als eine

Ewigkeit, weil man ihn mit all dem Schreck und Schmerz allein gelassen hatte.

Als Margaret schließlich wieder auftauchte, setzte sie die herabbaumelnde Fingerspitze wieder an ihre richtige Stelle und Owen musste sie mit Hilfe eines Papiertaschentuchs festhalten. Er hörte auf zu weinen. Papiertaschentücher hatten etwas Tröstliches. Mit einem Papiertaschentuch schien alles nur noch halb so schlimm.

Owen saß vorn im Auto und hielt seine Fingerspitze fest, die anderen Kinder saßen hinten. Andy und Eleanor weinten. Owen wusste, dass sie glaubten, der Unfall sei ihr Fehler gewesen. Leonard und Sadie waren blass und still.

Margaret startete den Wagen. Es war ein ziemlich altes Modell, das Horace vor ein paar Tagen für nur 50 Dollar gekauft hatte. Er wollte den Wagen überholen, um ihn dann für 75 zu verkaufen, aber zum Überholen war er noch nicht gekommen. Doch es war der einzige Wagen, der da war, und Margaret startete ihn fachmännisch, dann setzte sie ihn rückwärts auf die Straße und schaltete hoch. Der Motor ging aus. Margaret schlug auf das Lenkrad und startete noch einmal. Aber sobald sie schaltete, ging der Motor aus.

Margaret versuchte immer wieder, den Wagen in Gang zu bringen. Owen saß ganz still und schloss seine Augen. Sein Finger tat nicht so weh, wie er es mit einer abgerissenen Fin-

gerkuppe eigentlich hätte tun müssen. Er hielt das Papiertaschentuch fest, damit die Kuppe nicht wieder abfiel und das
Bluten aufhörte. Nun weinten alle Kinder, und seine Mutter
benutzte unaussprechliche Wörter.

Aber Owen wusste, dass alles gut werden würde. Er dachte
an den Tag zurück, wo er mitten in dem brennenden Graben
gestanden hatte, und wie er den Mut gehabt hatte, dem Moddermann gegenüberzutreten, als er versuchte seinen Vater zu
retten, der im Dach feststeckte. Auch dem, was jetzt geschah,
konnte er gegenübertreten, wenn er ruhig blieb.

Margaret bekam den Wagen schließlich doch in Gang und
fuhr schneller als Doom Monkey, wenn er gerade die Welt rettete. Aus Angst, der Motor könnte wieder absterben, hielt sie
nicht mehr an, dafür drückte sie auf die Hupe und winkte
heftig aus dem Fenster. Nach einer Weile ging das Weinen der
Kinder in Schreien über, aber Margaret sagte ihnen, sie sollten still sein, und in ihrer Stimme waren genug Baseball-
schläger, dass es bis in die Stadt reichte.

Das Krankenhaus bestand aus grauem bröckeligen Mauer-
werk draußen und grauen Mauern und graugesichtigen Menschen drinnen. Margaret und die Kinder saßen eine Ewigkeit
im Warteraum. Owen hielt immer noch seine Fingerkuppe
in dem Papiertaschentuch fest. Die anderen Kinder saßen
ganz still da mit ängstlich aufgerissenen Augen.

Neben ihnen saß ein großer Mann mit einem braunen Bart und einem enormen Bauch, seine Augen sahen trübe aus. Owen hätte nicht sagen können, was mit ihm nicht stimmte. Aber der Junge daneben hatte sich den Arm verletzt und eine Frau schräg gegenüber, die uralt aussah, hatte sich die Hüfte gebrochen, als sie an die Tür gegangen war. Sie war geradewegs einem Staubsaugervertreter in die Arme gefallen, und anstatt ihr einen Staubsauger zu verkaufen, hatte er sie ins Krankenhaus gebracht.

Und es gab ein kleines Mädchen in roten Schuhen, das seit seiner Geburt krank war und mindestens einmal in der Woche ins Krankenhaus kam. Das Mädchen kannte die Namen der Schwestern und musste jeden Tag sechs verschiedene Medikamente einnehmen.

Owens Finger schmerzte überall, als er schließlich zum Arzt hineindurfte. Er musste das Papiertaschentuch abnehmen, und obwohl er eigentlich nicht hingucken wollte, sah er doch, dass die Fingerspitze zermatscht und blutrot aussah. Der Doktor wusch die Wunde, dann sagte er, dass er die Fingerkuppe nun wieder befestigen wollte.

»Wie machen Sie das?«, fragte Owen. Er stellte sich vor, es gäbe so eine Art Knochenkleber und vielleicht eine spezielle Salbe, die man benutzen konnte. Aber stattdessen holte der Arzt Nadel und Faden.

»Sie wollen sie annähen?«, fragte Owen.

Der Arzt sagte ihm, er solle nicht hinschauen, aber Owen konnte nicht anders. Die Nadel fuhr durch seine Haut, schwarzer Faden wurde hindurchgezogen. Die Stiche hinterließen ein Muster wie die Narben von Frankenstein.

»So, das war's«, sagte der Arzt. »Das müsste fürs Erste reichen.«

Später erfolgte eine Operation, um zu sehen, ob auch alles an der richtigen Stelle saß. Als Owen aus der Narkose erwachte, hatte er einen riesigen Gipsverband um den Finger. Er befand sich allein in einem grünen Raum mit grauen Vorhängen um sein Bett, und der Gips sah aus wie bei einer Mumie. Owen schlief wieder ein, wachte auf und schlief erneut.

Später kam Margaret und sagte, sie hätte die Kinder nach Hause zu Lorraine gebracht. Und sie würde dafür sorgen, dass Horace ein anständiges Auto kaufte. »Wie fühlst du dich? Hast du einen Wunsch?«

»Wie lange muss ich hier bleiben?«, fragte Owen. Margaret sagte: »Drei Tage«, und Owen sagte ihr, welche Comics er wollte. Dann öffnete Margaret den Vorhang und kurbelte sein Bett hoch, sodass er aus dem Fenster schauen konnte. Sein Zimmer war oben im fünften Stock und er konnte unzählige Häuserreihen erkennen, ein Stück Flussbiegung und eine halbe Brücke. Er stellte sich vor, dass Sylvia vielleicht mit ihren Eltern die Straße entlangkäme, aus was für einem Grund, würde er sich später noch überlegen.

Nachdem Margaret gegangen war, schaute Owen und schaute, und selbst, als es dunkel wurde, wollte er nicht, dass die Schwester die Vorhänge wieder schloss. Man konnte ja nie wissen.

In dieser Nacht schlief er sehr schlecht. Immer wieder sah er sich allein auf der Auffahrt stehen, blutend und schreiend, und dann so ruhig und still dasitzen, während der Arzt den Faden einfädelte. Und er durchlebte noch einmal diese schrecklichen Augenblicke im Auto, als immer wieder der Motor abstarb. Er versuchte sich vorzustellen, wie es wohl war, wenn man wie das kleine Mädchen praktisch sein ganzes Leben Woche für Woche ins Krankenhaus musste.

Sich den Finger zu brechen schien dagegen ein Glücksfall zu sein. Er hätte sich schließlich alle Finger im Flaschenzug einklemmen können, und Andy, Leonard und Eleanor hätten sich das Genick brechen können, als sie von der Festung fielen. Das Auto hätte auch komplett den Geist aufgeben können oder sie hätten auf der Fahrt ins Krankenhaus einen Unfall gehabt …

Aber dann hätte die Frau des Moddermannes Owen nicht besuchen können, das tat sie nämlich.

Es war schon spät in der Nacht und im Krankenhaus war

es unheimlich still und dunkel. Es gab kein Geräusch außer dem stetigen *Drip-drip* eines Wasserhahns irgendwo. Mitten in der Nacht klang dieses Tropfen, als schlage jemand mit den Fäusten direkt auf Owens Trommelfelle.

Und da war sie dann, sie wehte wie ein Vorhang im Wind, ganz in Grau.

»Du hast mit meinem Bruder gesprochen«, sagte Owen und richtete sich auf, um sie besser sehen zu können.

»Wie geht es deinem Finger?«, fragte sie. Sie blieb im Schatten, und während sie sprach, wehte der Wind.

»Ich habe ihn mir gebrochen«, sagte Owen. »Er ist eingegipst.«

»Ich weiß«, sagte sie und blies ihm kalte Luft ins Gesicht, ihr graues Kleid wirbelte um sie herum. Sie hatte eine ganz leise Stimme. Owen musste sich anstrengen, sie zu verstehen.

»Wir werden uns nicht mehr so oft sehen«, sagte sie, und dann schwebte sie geradewegs aus dem Fenster, und obwohl Owen versuchte sie zurückzuholen, blieb sie verschwunden.

Am nächsten Morgen kam Schwester Tudley. Sie war mindestens 200 Jahre alt. Ihre Stimme war scharf und spröde wie trockene Baumrinde, und wenn sie sprach, schnappten ihre Worte zu, als ob einem jemand einen Kofferdeckel auf die Finger knallen würde. Sie brachte ihm auf einem Tablett das

Frühstück, dann flatterte sie um ihn herum, damit er nicht ins Bett krümelte. Er war so verängstigt, dass er prompt seine Müslischüssel ins Bett schüttete, woraufhin Schwester Tudley krächzte wie eine Krähe.

Aber am Nachmittag erschien Schwester Debbie. Sie war gerade mal alt genug, um überhaupt eine Schwester zu sein, sie hatte einen zarten Teint und lustige grüne Augen und war die hübscheste Person, die Owen je gesehen hatte, außer Sylvia natürlich. Sie brachte ihm eine Schachtel mit Spielzeugsoldaten und einen Modelllaster und saß an Owens Fußende und erzählte ihm, wie seltsam es war, nicht mehr zu Hause zu wohnen.

»Warum lebst du nicht mehr bei deiner Familie?«, fragte Owen.

»Ich bin mit der Schule fertig und jetzt hab ich diesen Job«, sagte sie. Ihre Familie lebte fast zwanzig Meilen entfernt.

»Und was ist mit deinem Mann?«, fragte Owen weiter. »Du könntest doch bei ihm wohnen.«

»Ich hab keinen Mann«, sagte sie lächelnd. Owen fand es sehr merkwürdig, dass eine so überwältigende Erscheinung keinen Mann haben sollte.

»Nun, ich könnte dein Ehemann sein«, sagte er. »Es sei denn, ich heirate eine andere.«

Schwester Debbie war so lieb und man konnte so gut mit

ihr sprechen, also erzählte Owen ihr alles über Sylvia, besonders von jenem Abend, als er sie in goldenes Licht getaucht bei ihrer Klavierstunde gesehen hatte. Und wie er ihren Valentinsbriefkasten zerstört hatte und bei ihrem Geburtstag gewesen war. Er hielt immer noch aus dem Fenster Ausschau nach ihr, aber bis jetzt hatte er sie nicht gesehen.

Später, als Schwester Debbie ihm ein Glas Apfelsaft brachte, fragte sie ihn, wie Sylvia mit Nachnamen hieß.

»Tull«, sagte Owen. »Sylvia Tull.«

Am Nachmittag kamen ihn dann alle besuchen: Margaret und Horace, Andy und Leonard, Eleanor und Sadie, Onkel Lorne und Lorraine.

Eleanor entschuldigte sich aufrichtig bei Owen dafür, dass sie ihm den Finger gebrochen hatte. Sie sagte, es sei allein ihr Fehler gewesen. Es war ihr zusätzliches Gewicht auf dem Garagentor, das es hatte zufallen und Owen hoch- und in all den Schlamassel schießen lassen. Andy brachte ihm sein Doppelheft von Captain Volatile, in dem er gegen die Verführerin Serpina kämpft. Sadie brachte ihm einen Strauß wilder Blumen, die sie am Flussufer gepflückt hatte, und Leonard lieh ihm sein Vergrößerungsglas, falls er sich die Poren auf seiner Haut oder die Naht an seinem Finger einmal genauer anschauen wollte, wenn erst der Gips ab wäre. Dann sagte Horace, es wäre an der Zeit zu gehen.

Danach saß Owen im Bett und sah durchs Fenster zu, wie all die winzigen Autos lauter winzige Leute von hier nach dort brachten. Er wusste, dass in jedem Wagen Gespräche stattfanden, und er versuchte sie sich vorzustellen.

Dann schlief er tief und lange, und als er aufwachte, lag auf seinem Nachttisch ein Zettel. In einer Mädchenhandschrift stand da mit Bleistift geschrieben:

Lieber Owen,
ich wollte dich heute mit meinem Vater besuchen, weil mich eine Krankenschwester angerufen und gesagt hat, dass du im Krankenhaus wärst. Aber du hast geschlafen und ich wollte dich nicht aufwecken. Also, es tut mir Leid, dass du dir den Finger gebrochen hast. Schlaf gut!
Sylvia

Es waren nicht so sehr die Worte als der Zettel an sich, der ein Wunder darstellte. Die Vorstellung, dass sie den ganzen Weg zum Krankenhaus gekommen war und an seinem Bett gestanden und ihn schlafen gesehen hatte. Sie hatte ihren Bleistift genau hier und hier und hier aufgedrückt und seinen und ihren Namen geschrieben und war dann verschwunden wie die Frau des Moddermannes. Nur ihr Geist war noch auf dem Papier.

Schlaf gut! stand auf dem Zettel, und das hatte Sylvia geschrieben, also war es für Owen ein Befehl. Er schloss sofort
seine Augen und dachte an sie, als ob der Gedanke allein sie
zurückbrächte, um noch einen solchen reinen und atembe-
raubenden Moment zu schaffen.

Die Expedition

Owen starrte auf das Blatt Papier, das auf dem Küchentisch lag. Er hatte seinen Dreifarbenstift angespitzt und mit dem gebrochenen Finger hielt er das Papier fest. Er begann mit *Liebe Sylvia*, dann schaute er sich den Namen genau an, ob er ihn auch richtig geschrieben hatte.

Dann wusste er nicht weiter.

Er hatte das Gefühl, dass er für Jahre weg gewesen und als eine veränderte Person zurückgekommen war. So wie Prinzen in früheren Zeiten, die auf Abenteuer auszogen und von Piraten gefangen und gegen Lösegeld festgehalten wurden. Andy hatte ihm alles darüber erzählt. Wenn die Familie den Piraten kein Geld oder Juwelen oder Gold aushändigte, wurde einem die Kehle aufgeschlitzt und man wurde ins Meer geworfen. Und in früheren Zeiten, so Andy, war die Post so langsam, dass es Jahre dauern konnte, bis der Erpresserbrief überhaupt bei der Familie ankam, und dann dauerte es noch einmal so lange, bis sie so viel Geld zusammengespart hatte, um einen zurückzukaufen. Und wenn sie das Geld endlich zusammenhatten, wussten sie oft nicht, wo sie es hinschicken sollten. Alles in allem war es gescheiter, wenn man den Piraten von allein entkam, vorzugsweise indem man ihnen ihr Schiff stahl und im Triumph nach Hause segelte.

Am heutigen Nachmittag sollte genau so eine abenteuerliche Expedition stattfinden, und Owen überlegte, ob er Sylvia davon berichten sollte, aber da sie noch nicht begonnen hatte, wusste er nicht recht, was er schreiben sollte.

Während Owen im Krankenhaus gewesen war, hatte Horace die alte Veranda vor dem Haus abgerissen, die schon ganz verrottet gewesen war. Bis jetzt hatte er noch keine neue gebaut, denn er wartete darauf, dass er von seinem Freund Wilkes Bauholz bekam, das bei Wilkes' Vater auf dessen Farm im Norden herumlag. Aber Wilkes' Vater rückte das Bauholz nicht eher raus, bevor nicht das neue Klohäuschen fertig war, das er bauen wollte, aber danach konnte Horace alles Holz haben, was noch übrig war. Aber der, der das Klohäuschen errichten sollte, war ein viel beschäftigter Mann, dessen Tochter außerdem in ein paar Wochen irgendwo im Osten heiraten sollte. Aber wenn das vorbei war, würde er möglicherweise kommen, um das Klohäuschen von Wilkes' Vater zu bauen, sodass Horace das restliche Holz abholen konnte.

Wenn er denn einen Truck bekäme. Onkel Lornes Truck war aus dem Verkehr gezogen worden, aber Horaces Freund Alex hatte einen Truck, den er sich von seinem Bruder in Norwick borgte, wenn der ihn nicht gerade brauchte, um das Willow-Mädchen in Limeoak herumzukutschieren. Aber die würde Ende des Monats eine Schule für Stewardessen besuchen. Danach könnte Horace ihn sicher bekommen.

In der Zwischenzeit gab es keine Veranda vor dem Haus. Die Tür öffnete sich geradewegs nach draußen und es ging etliche Fuß tief nach unten. Die Jungs liebten es, sich mit voller Wucht aus der Tür zu stürzen, um zu sehen, wie weit sie in den Hof springen konnten.

Margaret sagte, dass Owen auf gar keinen Fall aus der Tür springen durfte, solange sein Finger eingegipst war. Also musste Owen es dann machen, wenn sie nicht hinsah, und er konnte natürlich nicht so laut schreien, wie Andy und Leonard es taten, wenn sie sprangen.

Es war ein bisschen wie Fallschirmspringen. Und die Jungs hatten auch wirklich einen ganzen Nachmittag damit verbracht, einen Fallschirm herzustellen – aus einem Gästelaken, das ihre Mutter im Wäscheschrank aufbewahrte. Aber es kamen ja nie Gäste, also sprach nichts dagegen, es als Fallschirm zu verwenden. Mit der Ahle ihres Vaters stachen die Jungs kleine Löcher in den Rand und zogen durch jedes eine lange

Schnur. Die anderen Enden der Schnüre wurden an Andys Ranger-Rucksack geknotet, den er sich umschnallte, bevor er sich aus der Tür und ins Ungewisse stürzte. Es war eine ziemliche Fummelei, die Schnüre auf die richtige Länge zu bringen, damit sich der Fallschirm selbst bei so einer kurzen Distanz richtig öffnen konnte.

Sie hatten es fast geschafft, als ihre Mutter kam, um nachzuschauen, was sie so trieben.

»Wo habt ihr dieses Laken her?«, fragte sie streng.

Andy drehte sich um und sprang aus der Tür und wäre wohl auch entkommen, wenn sein Fallschirm nicht an einem langen Nagel hängen geblieben wäre, der noch im Türrahmen steckte. Es machte laut *Ratsch!*, als Andy auf dem Boden landete.

Margaret war so wütend, dass sie ebenfalls aus der Tür sprang und fast auf ihrem Erstgeborenen gelandet wäre. Stattdessen landete sie in einem Loch, das Horace vergessen hatte zuzuschütten. Sie hätte sich alles Mögliche brechen können, aber glücklicherweise rutschte sie in den Schlamm, sodass sie noch schlimmer aussah als das Gästelaken, das die Jungs in einen Fallschirm verwandelt hatten.

Beim Mittagessen saßen die Jungs wie schweigende Gefangene da und schauten nur auf ihre Broccoli-Käse-Suppe. Anschließend wuschen sie ohne einen Mucks das Geschirr ab.

Und dann endlich begaben sie sich auf ihre Expedition, auf der sie hoffentlich von Piraten gefangen genommen werden würden, um dann mit dem Schiff der Piraten zu fliehen, das sie benutzen konnten, um selbst Piraten zu sein.

Es war ein strahlender Spätsommertag in einer der letzten Ferienwochen. Die Luft war so frisch und klar, das Blau des Himmels ein ganz besonderes, fast ein Graublau, wie von Stahl durchzogen. Und obwohl es in der Sonne noch warm war, spürte man im Schatten bereits eine Kühle, die Vorbote des Winters zu sein schien.

Als Owen durch den Wald lief und am Flussufer entlang, konnte er den Geschmack der Kälte in seinen Lungen spüren und er wusste, dass der Sommer fast vorbei war.

Sie hatten Tage damit verbracht, die Oberfläche des Flusses nach dem Riesenkraken abzusuchen. Sie hatten nach ungewöhnlichen Wellenmustern Ausschau gehalten und waren auf ein paar der alten Weiden am Ufer geklettert, um die trüberen Partien in der Mitte des Flusses zu beobachten. Sie hatten Steine in die Senken nahe des Ufers geworfen, um das Ungeheuer an die Oberfläche zu treiben.

Der Krake hatte jede Menge Spuren hinterlassen. Da gab es ein kaputtes, von Wasserpflanzen überwuchertes Ruderboot, das in einer Untiefe gesunken war und aussah, als hätte es der Schlag eines riesigen Tentakels zum Kentern gebracht.

Außerdem hatten die Jungs etliche Fische gefunden, die mit dem Bauch nach oben nahe dem Ufer trieben, völlig intakt, wahrscheinlich zu Tode erschrocken, nachdem sie das Ungeheuer gesehen hatten.

Und sie hatten die Reste von einem tintenschwarzen Schaum entdeckt, der von dem Gift des Kraken stammen musste. Leonard wollte ihn schon anfassen, aber Andy hielt ihn zurück. In dem Buch über Riesenkraken aus der Leihbibliothek gab es Abbildungen von den Monstern. Man sah, wie sie Kühe fraßen und Schiffe und ihre Opfer mit tödlicher Tinte bespritzten.

Aber das eigentliche Ziel dieser Expedition war nicht, den Riesenkraken zu finden, sondern eine Wallfahrt zu unternehmen, verkündete Andy. Er sagte, dass viele von denen, die früher von Piraten entführt worden waren, angefangen hatten nach Gott zu suchen.

Die Jungs wussten nicht, wo sie damit beginnen sollten. Leonard dachte, dass Gott möglicherweise auf dem höchsten Baum, auf der höchsten Erhebung, ganz nah am Himmel säße, aber Andy sagte, das sei nicht so.

»Gott lebt nicht im Himmel«, sagte Andy.

»Aber natürlich lebt er dort!«, rief Leonard. »Mit dem Jesuskind und den ganzen Lämmern!« Das hatte er in der Sonntagsschule gelernt.

Aber Andy sagte, dass man später in der richtigen Schule lernte, dass die Geschichte von Gott im Himmel eben nur eine Geschichte sei.

»Eine Metapher«, sagte Andy.

»Was ist das?«, fragte Leonard.

»Eine Metapher ist ein Bild für etwas«, sagte Andy. »Das Bild von Gott im Himmel meint nur, dass er zur gleichen Zeit überall ist.«

»Er ist überall?«, sagte Owen.

»Er ist in den Bergen, in den Steinen, im Wasser ...«

Leonard begann zu lachen.

»Was ist?«

»Na ja, wenn Gott überall ist, dann muss er auch in Klopapier sein! Und in Broccoli-Käse-Suppe!«

»Und im Leim!«, sagte Owen.

»Gott ist in Würmern!«, sagte Leonard. »Wir müssen nirgendwohin, um Gott zu finden. Nur unter einen Stein gucken!«

»Du sollst keine Witze über Gott machen«, sagte Andy.

»Gott ist im Abflussrohr«, rief Leonard. »Gott ist im Schweineohr!«

»Hör auf!«

»Wir können hier einfach sitzen bleiben und Gott kommt zu uns!«, sagte Leonard.

»Gott ist schon da«, sagte Andy. Dann, ganz ruhig: »Er hört jedes Wort, das du sagst.«

Owen sah sich um. Eine leichte Brise wehte und das Gras war braun und zerdrückt, müde von einem langen Sommer. Für einen Moment schien es möglich, dass Gott in den Steinen, in den Bäumen, im Himmel und in seinen alten Socken steckte, dass er hörte, was über ihn gesagt und gedacht wurde.

»Eleanor sagt, dass Gott ein Mädchen ist«, sagte Leonard. »Eine Junge Wissenschaftlerin, die das Universum wie ein Uhrwerk laufen lässt.«

»Das ist ja wohl das Dämlichste, was ich in meinem ganzen Leben gehört habe!«, sagte Andy.

»Na klar, sie ist älter als du und sehr viel schlauer«, sagte Leonard, »und du bist in sie verliebt.«

Manchmal wissen Brüder ganz genau, was sie sagen müssen, um ein Erdbeben auszulösen. Andy stieß Leonard so heftig, dass er das Ufer hinunterstürzte und in den Fluss fiel, in eine Stelle voller Schilf, wo der Schlamm schwarz war und hundert Frösche auf einmal ins Wasser sprangen. Owen sah, dass Andy sich schrecklich fühlte, aber nicht so schrecklich wie Leonard, der völlig durchnässt und mit schwarzer Schmiere bedeckt war. Außerdem hatte er seine Brille im Schlamm verloren.

»Warum hast du das gemacht, du gemeiner Kerl?«, jammerte Leonard. Andy stieg ins Wasser, um ihm zu helfen nach seiner Brille zu suchen. Owen blieb am Ufer, denn er hatte noch den Gips an seinem Finger und durfte nicht ins Wasser.

»Ich bin *nicht* in Eleanor verliebt!«, sagte Andy, während er den Grund abtastete, und so, wie er es sagte, war Owen sicher, dass er es sehr wohl war. Und im gleichen Augenblick wurde ihm klar, dass man gegen diese Sache mit der Liebe nicht ankam. Es erwischte auch ältere Brüder, die stark und mutig waren.

Sie suchten weiter den Grund des Flusses nach der verlorenen Brille ab. Sie fühlten mit den Fingern und den Zehen und tauchten ab und zu, nur kamen sie jedes Mal mit leeren Händen wieder hoch, ihre Haare, Kleider und Gesichter mit Schlamm bedeckt. Das Wasser war nicht sehr tief und es gab auch keine Strömung, die die Brille hätte forttragen können. Und der Schlamm war nicht allzu dick, es gab also keinen vernünftigen Grund, warum sie die Brille nicht finden konnten. Aber sie fanden sie einfach nicht.

»Da siehst du mal, was passiert, wenn man sich über Gott lustig macht!«, sagte Andy. Er setzte sich in die Sonne und zog seine verdreckten Sachen aus. Der kühle Wind machte ihm Gänsehaut.

Leonard sagte: »Du musst weitersuchen! Du hast sie verloren!«

»Ich mache eine Pause!«, sagte Andy. Er legte sich auf den Rücken, um dem Wind auszuweichen.

Leonard stieg aus dem Wasser, zog sich ebenfalls seine Sachen aus und breitete sie zum Trocknen aus.

Zu Owen sagte er: »Du musst mir helfen, denn ohne meine Brille sehe ich nichts.«

Also zog Owen sich ebenfalls aus und stieg mit Leonard in das moddrige Wasser. Mit der rechten Hand suchte er den Grund ab, während er die linke hoch in die Luft hielt, damit der Gips nicht nass wurde.

Leonard und Andy stritten darüber, ob Gott einen nun bestrafte, wenn man sich über ihn oder sie lustig machte.

Andy sagte, dass Gott es hasste, wenn man all die Dinge nicht schätzte, die er tat, um einem das Leben zu verschönern. Schließlich ließ er jeden Morgen die Sonne aufgehen und gab einem genug Luft zum Atmen und – nicht zu vergessen – Frühstücksflocken, um einen am Leben zu erhalten.

Leonard sagte, Frühstücksflocken kämen aus der Fabrik und nicht von Gott. Und Andy fragte zurück, wo denn die Fabriken den Weizen und die Chemikalien herbekämen, wenn nicht von Gott. Und Leonard sagte, vom Feld und aus den Labors. Und Andy fragte, wo die sie denn herbekämen? Und Leonard sagte, von Mutter Natur, der Wissenschaftlerin, die das Uhrwerk stellte und die Gott war.

»Also doch! Du gibst es also zu!«, sagte Andy und watete wieder ins Wasser.

»Zugeben, was?«, sagte Leonard.

In diesem Augenblick tauchten Eleanor und Sadie aus ihrem Versteck auf und stahlen die nassen Sachen von Andy und Leonard und die trockenen von Owen.

»Hey!«, rief Andy und lief auf die beiden Mädchen zu.

Er hätte sie auch gekriegt, wenn Eleanor nicht angehalten, sich umgedreht und gesagt hätte: »Du bist nackt!« Woraufhin Andy unverzüglich zurück ins Wasser sprang.

Eleanor und Sadie wollten weiterlaufen und Andy rief: »Wartet! Hey! Gebt uns unsere Sachen zurück!«

»Was gibst du uns dafür?«, fragte Eleanor.

Leonard und Owen schwammen zu Andy und hockten sich ins Wasser, um ihre Blöße zu verbergen. Andy sagte, wenn die Mädchen ihre Sachen zum Ufer brächten und dann verschwänden, würde Owen ihnen seine Indianertaschenlampe geben.

Und Leonard sagte, laut genug, dass die Mädchen ihn hören konnten: »Aber die ist dir doch im Spukhaus kaputtgegangen.«

»Idiot«, sagte Andy.

»Aber das wäre Betrug«, sagte Leonard.

»Wir können euch nicht vertrauen«, verkündete Eleanor

und sammelte die Kleider, die sie bereits hingelegt hatte, wieder auf.

»Wartet!«, brüllte Andy. »Ihr könnt uns doch nicht hier lassen!«

»Warum nicht?«, erwiderte Eleanor und lachte.

»Alles, was du willst!«, sagte Andy, der immer noch im Wasser hockte. »Du musst es nur sagen.«

Eleanor meinte, es müsste etwas sein, das die Jungs ihnen sofort geben könnten, ein fairer Austausch sozusagen, und die Jungs waren einverstanden.

»Aber ihr habt nichts hier!«, sagte Eleanor.

Dann flüsterte sie Sadie etwas ins Ohr, die schüttelte den Kopf. »Nein.« Eleanor flüsterte wieder, und Sadie schüttelte wieder den Kopf. Eleanor hörte nicht auf zu flüstern und zu argumentieren.

Schließlich nickte Sadie und sagte: »Ja.«

»Wir geben euch eure Sachen zurück«, verkündete Eleanor, »wenn Leonard Sadie einen Kuss gibt.«

»Meinst du nicht Owen?«, schrie Andy.

»Sie meint Leonard«, sagte Eleanor. Sadies Augen tränten und Leonard machte ein leises stöhnendes Geräusch wie ein Frosch angesichts seines baldigen Todes.

»Lieber laufe ich nackt nach Hause!«, sagte Leonard und ließ sich zurück ins Wasser fallen.

»Schhh!«, machte Andy.

»Ich krabbele im Schlamm nach Hause!«, rief Leonard. »Ich bedecke mich mit Blättern!«

»Du verletzt Sadies Gefühle«, sagte Owen. Und es stimmte, ihre Augen waren ganz rot.

»Wen kümmert das?«

Andy rief zum Ufer hin: »Er wird sie erst küssen, wenn er seine Sachen anhat. Kein nacktes Küssen!«

»Das geht in Ordnung«, sagte Eleanor, aber nun schüttelte Sadie den Kopf und schickte sich an zu gehen.

Eleanor sprach mit Sadie und Andy sprach mit Leonard und allmählich brachten sie die beiden zusammen.

Andy flüsterte: »Du musst sie nicht küssen. Pass nur auf, dass du deine Sachen kriegst.«

»Welches sind die von Leonard?«, fragte Eleanor, denn die Kleider der Jungs waren nur noch ein feuchter Klumpen. Andy sagte, sie solle einfach alles bringen. Aber Eleanor weigerte sich.

»Dann bring eben die von Leonard und Owen«, rief Andy zurück. Und er erklärte, dass Owen mit seinem Finger ein medizinischer Fall sei und sofort aus dem Wasser müsse. Schließlich stimmte Eleanor zu und brachte das, was sie für Leonards und Owens Sachen hielt, indem sie die größten und durchnässtesten zurückließ.

»Ihr könnt nicht zugucken!«, rief Andy.

»Aber natürlich können wir das!«, sagte Eleanor und schien ihrer Sache so sicher, dass Andy nichts zu erwidern wusste.

»Macht ganz schnell, dann sehen sie fast nichts«, sagte er zu Leonard und Owen.

»Auf gar keinen Fall!«, sagte Leonard.

»Na dann haltet euch die Hand davor.«

Owen versuchte aus dem Wasser zu kommen, aber kurz vor dem Ufer versagten seine Füße ihren Dienst. Leonard erging es genauso. Ihre Sachen lagen in Griffweite vor ihnen, aber die Mädchen sahen zu ihnen hin und es schien ein Ding der Unmöglichkeit zu sein, auch nur noch einen Schritt zu machen.

»Geh einfach!«, rief Andy.

»Ich kann nicht«, sagte Owen.

Dann durchzuckte es Owen und plötzlich stürmte er kreischend und spritzend aus dem Wasser, und die Mädchen waren so überrascht, dass sie auf den Haufen Kleider fielen und ihrerseits durchweichten.

Im gleichen Moment stürzte sich Andy wie ein Verrückter auf Eleanor. Obwohl sie älter und größer war, schob er seine Schulter unter ihren Arm, hob sie wie ein Feuerwehrmann hoch und warf sie ins Wasser. Dann wandte er sich Sadie zu, aber die lief schreiend davon.

»Kommt!«, rief Owen seinen Brüdern zu. Und unter Doom Monkeys Siegesgeheul liefen sie zu der Stelle, wo die Mädchen ihre Fahrräder abgestellt hatten. Andy nahm das von Eleanor und Leonard nahm Sadies Rad, und Owen lief neben ihnen her, über die Schienen, die Leonard so hasste, und dann immer die Straße entlang zurück zur Farm.

Die Jungs wussten die ganze Zeit, dass sie immer noch nackt waren, aber das schien keine Rolle zu spielen. Eleanors und Sadies Räder erobert zu haben und sie sieghaft nach Hause zu bringen war ein solcher Triumph! Es war, als ob sie Piraten in deren eigenem Schiff entwischt wären!

Aber wie sollten sie ihrer Mutter erklären, was geschehen war, als sie vor dem Haus ankamen: nackt, wie Gott sie geschaffen hatte, von oben bis unten mit Schlamm bespritzt, kreischend vor Lachen, mit zwei gestohlenen Fahrrädern. Sie versuchten jedes Detail zu erzählen, aber es gab so viele, und in Worte ließen sich der Zauber und die Glorie sowieso nicht fassen. Vor allem nicht, als sie den Ausdruck von Schrecken im Gesicht ihrer Mutter erblickten, Schrecken, der sich zu Angst wandelte, je mehr sie versuchten zu erklären. Eleanor ins Wasser geworfen! Sadie weggelaufen! Sie hatten unsere Sachen!

»Ich hab meine Brille verloren!«, sagte Leonard schließlich, als ob das eine Erklärung für alles wäre. Dann erschien

Eleanor, durchweicht und zitternd, mit Sadie an ihrer Seite, und die Nacktheit dieses Moments war, wie wenn man aus einem Albtraum aufwacht, nur um zu entdecken, dass man ins Bett gemacht hat.

Tausend Jahre in einem staubigen Grab

Vielleicht war es der kalte Wind am Fluss gewesen oder dass sie den ganzen Weg nach Hause nackt zurückgelegt hatten oder, wie Owen vermutete, die giftigen Ausdünstungen des Krakenschaums, die sie eingeatmet hatten. Wie auch immer, ein paar Tage nach der großen Expedition waren alle drei Jungs krank. Sie wiesen die gleichen mysteriösen Flecken auf: schartige rote Flecken, die sich zuerst auf den Fußsohlen zeigten, dann zwischen den Zehen hindurch und den Knöchel hochkrochen. Diese Flecken juckten mehr als Giftefeu, und schon bald hatten die Jungs sie auf ihren Fingern und Ohren, Nasen und Hals, sie wanderten die Arme hinauf und den Rücken hinunter. Nach einer Weile verkrusteten die Flecken, platzten auf und wurden zu neuen Flecken. Dann waren sie überall: auf den Augenlidern und in den Nasenlöchern, zwischen den Fingern und im Mund der Jungen.

Margaret und Horace sperrten sie im Schlafzimmer ein und riefen Dr. Graves, der alt, gebeugt und dünn wie ein vertrockneter Stock war. Seine Hände zitterten sogar, wenn sie nichts taten. Er presste das eiskalte, silbern schimmernde Stethoskop gegen Owens juckende Brust.

»Keine Windpocken«, sagte Dr. Graves, nachdem er die Jungs hatte husten lassen, auf ihrer Zunge herumgestochert und in ihre Ohren geschaut hatte.

»Was ist es dann, Doktor?«, fragte Margaret.

Der Arzt machte eine Pause, schniefte und sah die Jungs wie aus weiter Ferne an. Er begann, seine Instrumente wieder in seine schwarze Tasche zu stecken.

»Keine Ahnung«, sagte er. »Halten Sie sie warm und von der Sonne fern. Viel Ruhe und viel Flüssigkeit. Müsste in ein oder zwei Tagen weg sein. Rufen Sie mich, wenn es schlimmer wird.«

Margaret wurde sofort aktiv. Die Vorhänge wurden zugezogen. Die Jungs wurden ins Bett verbannt und mussten jede halbe Stunde ein Glas warmes Wasser trinken. Die Flecken juckten so sehr, dass die Brüder es kaum ertragen konnten. Sie krümmten und schlugen um sich, das Leiden des einen löste das gleiche bei den anderen beiden aus.

»Hört auf! Rührt euch nicht!«, schrie Margaret dann jedes Mal, aber das war nicht möglich. Leonard begann sich an

Owens Bein zu reiben, woraufhin dieses gekratzt werden musste, was alles nur noch schlimmer machte. Und Owens Ellbogen schlug gegen Andys Brust und er fing an sich zu kratzen, bis das ganze Bett eine zappelnde, sich windende, schreiende und klagende Masse war.

»Haltet still!«, schrie Margaret dann wieder, und sie erstarrten augenblicklich wie Soldaten beim Appell, aber das hielten sie nicht lange aus. Was sollte man auch tun, wenn alles juckte, sogar die Augenlider?

Nachts dann hatten sie schreckliche Träume, die sie sich am Morgen in den grässlichsten Einzelheiten erzählten. Andy sah, wie der Riesenkrake bei ihnen durchs Fenster sprang und langsam den ganzen Raum mit juckender Gifttinte voll sabberte. Leonard wurde von einem rasenden Zug gejagt, der sich selbstständig gemacht hatte. Der Zug folgte ihm überallhin, sprang über die Gleise, ratterte die Straße herunter, kletterte einen Baum hinauf, drang in den Keller ein und schließlich sogar ins Klo, wohin Leonard sich geflüchtet hatte.

Owen träumte, er würde zum Moddermann. Er fühlte, wie die Flecken größer wurden, ineinander flossen und seine Haut auflösten, so wie der radioaktive Schlamm einen harmlosen Wissenschaftler in eine abscheuliche Kreatur verwandelt hatte. In seinen Träumen war er ein Geächteter. Im Winter hauste er in den Wäldern, hockte mit einer Tasse Kakao, aber ohne Marshmallows vor dem Feuer, keine Freunde, keine Comics, keine Kleidung, zitternd und einsam.

In einem Traum kam Sylvia zu ihm in den Wald. Sie kreischte, als sie ihn sah, und lief davon, als er seine Hand nach ihr ausstreckte.

»Sylvia!«, versuchte er zu sagen, aber genau wie der Moddermann brachte er nur gurgelnde, zischende Laute heraus.

Margaret machte einen glühend heißen Umschlag aus Backpulver, brennenden Kräutern, Mehl, Essig und Lebertran. Dreimal am Tag klatschte sie die Paste mit einem großen Holzlöffel abwechselnd auf jeden Jungen.

Sie wanden sich und strampelten vor Angst, aber ihre Mutter hatte kräftige Arme und einen eisernen Willen und es gab kein Entkommen. Innerhalb weniger Minuten wurde die Paste hart wie Gips, sodass die Jungs sich nicht bewegen konnten, selbst wenn sie es gewollt hätten. Stunden später dann kam Margaret mit einem warmen feuchten Tuch und einem Spachtel zurück und kratzte das Zeug ab, und für einen Moment lagen sie befreit und bequem, bevor Margaret wieder neue Pampe auf sie draufschaufelte.

Eine Woche lang aßen sie Hühnerbrühe und lagen wie lebendig begrabene Mumien in dem abgedunkelten Raum und beobachteten, wie der Zeiger der Uhr vorrückte.

Die Flecken gingen nicht auf einmal weg. Stattdessen, wie

der Winter, fingen sie an zu verschwinden, kamen wieder, verschwanden und kehrten erneut zurück, und so weiter, bis sie dann eines Tages ein für alle Mal weg waren.

Owen fühlte sich, als habe man ihn nach tausend Jahren aus einem staubigen Grab ausgebuddelt und ihm die Chance auf ein neues ruhmreiches Leben geschenkt. Wie die Wilden rannten er und seine Brüder durch die Gegend, kletterten die Bäume hoch und auf Dächer hinauf, liefen durch den Wald zum Spukhaus und wieder zurück, über den Fluss zur Bullenweide – zu all den wundervollen Plätzen, wo das Leben interessant war und etwas passierte.

Sie brachten Andys Radio auf den Hügel des Toten Mannes und suchten den Fluss danach ab, ob ihr Erzfeind, der Riesenkrake, wieder Spuren seiner teuflischen Taten hinterlassen hatte.

Dem Krankenlager endlich entronnen, taten sie alles in doppelter Geschwindigkeit. Und doch, Owen spürte es, hatte sich etwas geändert. Zuerst war da der gebrochene Finger, dann die tausend Jahre in einem staubigen Grab und bald würde die Schule wieder beginnen. Er begann zu begreifen, dass die guten Zeiten, wenn man obenauf ist, sich bewegt, die Sonne im Gesicht und den Boden lebendig unter den Füßen spürt und die Luft in den Lungen, dass diese Zeit nur kurz ist im Verhältnis zu der, die man steif und regungslos verbringt, in der die Uhr sich nicht bewegt und man dazu verdammt ist zu warten, warten, warten … worauf? Darauf, wieder man selbst zu sein.

Und nun, da er seine Füße zurückhatte und überhaupt sein Leben, was wünschte er sich da mehr als alles andere? Was musste er so schnell wie möglich tun, bevor wieder irgendetwas dazwischenkam?

Owen wusste es so sicher wie nichts auf der Welt. Das Leben war kurz. Und darum konnte er auch nicht warten, bis er erwachsen war, um Sylvia zu fragen, ob sie ihn heiraten wollte.

Aber zuerst brauchte er einen Ring. Er ging hinunter in die Werkstatt im Keller, wo Onkel Lorne Wochen damit zugebracht hatte, den Wasserspeier-Aschenbecher für Mrs Foster herzustellen. Dort fand er Kupferdraht und schnitzte den Stiel eines Besens auf die Dicke eines Fingers zurecht. Er wand den Draht um den hölzernen Finger, verflocht die einzelnen Stränge, beschnitt die Ränder, bis er einen Ring hatte, den jedes Mädchen lieben würde. Nun ja, es fehlte der Diamant. Owen brach einen aus den Sporen seiner Cowboystiefel, aber der hielt nicht auf dem Ring, noch nicht einmal mit Klebeband. Doch schließlich fand Owen, dass dieser Ring gar keinen Diamanten brauchte – er war schlicht und wahr wie seine Liebe, entweder sie wollte ihn oder nicht!

Sobald der Ring fertig war, wusste er, dass er Sylvia sofort fragen musste. Er konnte nicht warten, bis die Schule wieder anfing. Also lief er ins Dorf und zu ihrem Haus. Während er lief, befühlte er den Ring in seiner Tasche, er versuchte nicht darüber nachzudenken, was er sagen wollte. Besser, es passierte einfach so, wie alle wichtigen Dinge im Leben.

Er versuchte so heftig, nicht darüber nachzudenken, was er sagen wollte, dass er den Umzugswagen erst bemerkte, als er fast in ihn hineinlief. Sylvias Mutter und ihr Vater kämpften mit einer Kommode ohne Schubladen, die trotzdem so aussah, als wöge sie mehr als die beiden zusammen. Sylvia spielte im Vorgarten mit einem roten Ball.

»Wo zieht ihr hin?«, fragte Owen. Der Umzugswagen stand mit weit geöffneter Klappe auf der Straße, während Sylvias Eltern die Kommode über die Rampe wuchteten.

»Nach Elgin«, sagte Sylvia. »Die Firma meines Vaters versetzt ihn.«

Für Owen sah es so aus, als ob Sylvias Eltern sich selbst versetzten, aber er sagte nichts. Er fingerte an dem Ring in seiner Tasche. Da er nichts vorbereitet hatte, hatte er auch keine Worte, auf die er jetzt zurückgreifen konnte, wo die Situation sich so gänzlich anders darstellte, als er es erwartet hatte.

Also fragte er sie, ob sie mit ihm zum Fluss gehen wolle.

»Wir haben in Elgin ein ganz neues Haus«, erzählte Sylvia

unterwegs. »Es ist groß und weiß und hat einen Swimming-pool.«

»Einen Swimmingpool!« Ein derartiger Luxus schien Owen unvorstellbar.

»Und einen großen Baum mit einer Schaukel und einen Zaun, sodass wir einen Hund halten können.«

»Gibt's da ein Spukhaus?«, fragte Owen, aber Sylvia verneinte. Es gab keinen Toten Mann und keinen Wald und auch keinen Fluss.

»Aber du wirst doch weiter auf unsere Schule gehen?«, fragte Owen.

»Nein, ich komme auf eine ganz neue Schule, die Platz für 500 Schüler hat. Und ich werde mit dem Schulbus hingefahren. Jeden Tag«, fügte Sylvia hinzu.

Das war nicht fair. Ein Swimmingpool und ein Schulbus und eine andere Schule; wenn in die ein Flugzeug stürzte, würde er niemals rechtzeitig da sein, um sie zu retten.

»Wahrscheinlich wird die Frau vom Moddermann nicht da sein«, sagte Owen dann.

»Wer?«, fragte sie.

Also musste er ihr die ganze Geschichte erzählen. Sie fing an mit dem Moddermann und seinen Problemen mit den radioaktiv verseuchten Mineralien. Und als Owen erzählt hatte, wie Leonard mit der Frau vom Moddermann im Spukhaus gesprochen hatte und er dann später im Krankenhaus, musste er ihr auch von Andys Detektorradio erzählen, dem sie um Mitternacht gelauscht hatten, während eine fliegende Untertasse geradewegs über ihre Schneefestung auf dem Toten Mann flog, um eine von Brinks' Kühen zu stehlen. Und er musste ihr von Onkel Lorne und Mrs Foster erzählen und wie das Wrack an jenem Tag ausgesehen hatte, als der Vater seinen Sohn rettete, und von der bösen Krankheit, die sie bekommen hatten, weil sie zu nahe an das Gift des Riesenkraken herangekommen waren. Und wie es sich in dem Graben angefühlt hatte, als überall um ihn herum Feuer gewesen war.

Sie gingen auf der Flussböschung entlang und spähten beide ins Wasser, für den Fall, dass der Riesenkrake auftauchte. Der Fluss war braun, träge und friedlich. Man konnte sich kaum vorstellen, dass unter der Oberfläche ein schreckliches Biest lauerte.

Owen machte sich Sorgen um den Ring in seiner Tasche und versuchte darüber nachzudenken, wie er Sylvia fragen konnte, ob sie ihn heiraten wollte. Denn jetzt, wo er sie richtig kannte, jetzt, wo sie Seite an Seite gingen und miteinander sprachen, da war ihm klar, dass sie für ihn die Einzige auf der Welt war.

Es war ihr Lächeln, als er erzählte, wie Horace im Dach festgesteckt hatte, und sie war auch nicht angewidert, als er ihr das mit den juckenden Flecken in seinem Mund erklärte. Es war die Art, wie sie ihr Haar hinter das Ohr strich und dann genau die richtige Frage stellte, damit er weitererzählte. Und dass sie auch gute Geschichten wusste, wie die, als ihr Vater sich beim *Tiddlywinks*-Spielen so den Rücken gezerrt hatte, dass er für zwei Tage nur auf allen vieren kriechen konnte.

Und vor allem war es, wie die Zeit mit ihr vorbeiraste wie Wasser in einem vom Regen angeschwollenen Fluss. Es war genau das Gegenteil davon, für tausend Jahre in einem staubigen Grab gefangen zu sein, und genauso gut, wie auf der Bullenweide in einem Apfelbaum zu sitzen als Pilot eines Kampfbombers, von dem das Schicksal der freien Welt abhängt.

Sie setzten sich unter eine große Tanne in der Nähe des Flusses und Owen zog seinen Kupferdrahtring heraus. Er gab ihn Sylvia und die schaute ihn an.

Owen bekam Angst. Wenn er nur genau darüber nachgedacht hätte, was er eigentlich sagen wollte, dann hätte er es auch sagen können, auch wenn plötzlich sein Herz raste und sein Kopf voll Nebel war. Er hatte ihr jede Geschichte und jedes seiner Abenteuer erzählt. Aber nun, als es wirklich darauf ankam, bekam er kaum ein Wort heraus.

»Ist der für mich?«, fragte Sylvia.

Er nickte. Wie konnte er sie fragen, ob sie ihn heiraten wollte, wenn sie fortzog?

»Passt perfekt«, sagte sie und steckte ihn auf den Daumen. Für ihre anderen Finger war er zu groß, aber das schien sie nicht zu stören.

»Wenn du ihn trägst, wirst du unsichtbar«, sagte Owen schließlich.

»Wirklich?«, fragte sie.

»Außer für mich«, sagte er. »Ich bin der Einzige.«

Was er wirklich sagen wollte, war, dass er als Einziger sie in jener Winternacht im Fenster der Schule gesehen hatte, Klavier spielend, eingehüllt in Licht.

Aber er hatte nicht die Zeit, das alles zu sagen, weil sie sich plötzlich umdrehte und sagte: »Schau!«

Da war es, draußen auf dem Fluss am helllichten Tag! Es war riesig und schwarz und bewegte sich mit der Geschwindigkeit eines Schattens.

Owen und Sylvia standen zusammen und hielten sich die Hand über die Augen. Die Sonne schien auf einmal so hell, genau dort, wo sie hinschauten.

Da war ein schrecklicher Aufruhr auf dem Wasser, das sahen sie deutlich an dem Blitzen der Sonne auf der Oberfläche, und dann – genauso schnell, wie sie erschienen war – war die schwarze Bedrohung auch wieder verschwunden.

»Was war das?«, fragten beide zur gleichen Zeit und sie sausten zum Ufer.

Was immer es war ließ Wellen ans Ufer schlagen und den Wind erst heiß, dann kalt werden. Es hinterließ die gleiche elektrische Aufladung in der Luft, die Owen an jenem schrecklichen Tag auf den Schienen gespürt hatte.

»War das der Riesenkrake?«, fragte Sylvia.

»Ich weiß es nicht«, sagte Owen.

Sie suchten zusammen den Horizont ab, aber die schwarze Gefahr war verschwunden, und dann musste Sylvia gehen.

Owen begleitete sie nach Hause. Der Umzugswagen war voll und Sylvias Elten saßen auf den Stufen mit leerem Blick und schmutzigen Kleidern.

»Können wir fahren, Sylvia?«, fragte ihr Vater.

»Gleich«, sagte Sylvia.

Sie lief ins Haus und kam mit Onkel Lornes Wasserspeier-Achenbecher zurück.

»Ich denke, ich sollte dir Doom Monkeys Hut des Grauens zurückgeben. Falls du mal besondere Kräfte brauchst.«

Owen nahm ihn, und dann standen die beiden da und wussten nicht, was sie als Nächstes tun sollten.

Schließlich sagte Owen: »Viel Spaß beim Schwimmen.« Und er drehte sich um und lief los, vorbei an Sylvias Eltern, die ihn erstaunt ansahen. Vorbei an dem Umzugswagen, vorbei an ihrem Haus. Er lief die Straße hinunter zum Fluss, mit erhobenem Kopf, pumpenden Armen, die Tränen liefen ihm über das Gesicht.

Schließlich, als er an der Stelle angekommen war, wo er und Sylvia den Riesenkraken oder was auch sonst immer gesehen hatten, wirbelte er die Arme wie ein Olympionike und warf den Hut des Grauens mitten in den Fluss. Es spritzte, dann tauchte der Aschenbecher wieder auf und trieb mit der trägen Strömung mit.

Owen stand lange da und beobachtete, wie er weggetragen wurde, bis er schließlich nur noch ein kleiner Fleck war, der in der unermesslichen Weite der Zeit dahintrudelte, auf dem Weg zum Ozean.

ALAN CUMYN ist in Ottawa (Kanada) geboren, wo er mit seiner Frau und zwei Töchtern auch heute lebt. Er hat mehrere erfolgreiche Romane für Erwachsene geschrieben. Neben seiner Schriftstellertätigkeit hat er in China und Indonesien Englisch unterrichtet und viele Jahre für die kanadische Einwanderungs- und Flüchtlingskommission zum Thema Menschenrechte gearbeitet. *Die geheimen Abenteuer des Owen Skye* ist sein erstes Buch für Kinder und wurde in Kanada bereits mehrfach ausgezeichnet.

Claudia Frieser
OSKAR UND DAS GEHEIMNIS DER VERSCHWUNDENEN KINDER

Einband und Vignetten von Constanze Spengler.
208 Seiten. ISBN 3-7915-2911-0

Eine Reise in die Vergangenheit? Oskar traut seinen Augen kaum, als er einen Brief findet, in dem sein Opa eine Anleitung für eine Zeitreise gibt. Doch es funktioniert: Oskar macht sich mit klopfendem Herzen auf in das spätmittelalterliche Nürnberg. Eigentlich soll es nur ein kurzer Besuch werden, aber plötzlich sieht sich Oskar in ein Abenteuer um Kindesraub und Hexerei verstrickt, das er sich in seinen kühnsten Träumen nicht hätte vorstellen können!

DRESSLER

Jan Slepian

DER SOMMER MIT ALFRED

Einband von Jacky Gleich
Aus dem Amerikanischen von Uwe-Michael Gutzschhahn
192 Seiten. ISBN 3-7915-1953-0

Ihre Freundschaft beginnt an dem Tag, als Lester Alfred das Leben rettet. Na ja, was man so »Leben retten« nennt … Aber für einen spastisch gelähmten Jungen wie Lester ist es schon eine große Leistung, mit dem Finger auf die Gefahr zu zeigen. Alfred seinerseits ist geistig behindert und stört sich deshalb nicht daran, dass Lester manchmal etwas länger braucht, um etwas zu sagen. Als dann noch der »normale« Myron und das Mädchen Claire zu ihnen stoßen, steht einem wunderbaren Sommer zu viert nichts mehr im Wege.

DRESSLER